D0542037

Écorchée

Écorchée

Adele Hartley

Traduit de l'anglais par Michèle Zachayus

Ce livre est un ouvrage de fiction. Tous les noms, personnages et événements qui y sont décrits sont les produits de l'imagination de l'auteur, ou sont utilisés dans un cadre fictif et ne doivent pas être considérés comme réels.

Titre original : *Redress*

Première publication : Beautiful books

ISBN : 978-2-7540-0691-0

Dépot légal : 2e trimestre 2008
Imprimé en France
Edition : Anne-France Hubau
Correction : Dan Nisand
Mise en page : Stéphane Angot
Conception couverture : Leptosome

Nous nous efforçons de publier des ouvrages qui correspondent à vos attentes et votre satisfaction est pour nous une priorité. Alors, n'hésitez pas à nous faire part de vos commentaires :

Editions First
2 ter, rue des Chantiers
75005 Paris – France
Tél. : 01 45 49 60 00
Fax : 01 45 49 60 01
e-mail : firstinfo@efirst.com

PREMIÈRE PARTIE

CHAPITRE ZÉRO

Skirving détestait cette chaleur. Ça le rendait somnolent et agité, et il ne trouvait pas le sommeil quand il était agité. Mais ce qu'il détestait plus encore que la chaleur, c'était la transpiration. Elle dégoulinait dans son dos et sous ses aisselles. Sa chemise lui collait à la peau, son pantalon était détrempé derrière les genoux et lui faisait à la taille une ceinture de moiteur qui le démangeait. Il avait l'impression que, sous ses vêtements, son épiderme était parcouru par de minuscules fourmis. Toute la journée, la sueur qui coulait de son front lui avait piqué les yeux. La seule chose qu'il détestait plus qu'être en nage, c'était l'air conditionné, qui le faisait éternuer mais après tous ces efforts, c'était un prix qu'il était disposé à payer.

Skirving s'amusait de voir combien la cuisine paraissait déformée vue du sol. Tous deux aussi tranquilles que la nuit, Nell et lui gisaient sur le carrelage délicieusement frais. Elle était au tapis, pour le compte. Quant à Skirving, derrière les fenêtres closes et les stores jaune pâle filtrant le soleil, il se laissait avec délices baigner par le souffle du climatiseur qui lui donnait la chair de poule. Bercé par le bourdonnement hypnotique de l'appareil, il était tout près de s'endormir, et rien ne le troublait plus, à part l'idée qu'il pourrait avoir encore faim.

La chaleur produisait d'étranges effets sur l'appétit de Skirving. Au petit déjeuner, il s'était découpé une belle tranche dans la demi-pastèque conservée au frigo. De petites aiguilles de froid avaient aussitôt assailli sa dentition, chacune d'entre elles semblant détecter une poche gâtée et s'y glisser pour mieux faire frémir les terminaisons nerveuses qui s'y cachaient. Histoire de se réchauffer la bouche, le jeune homme avait alors englouti tout un paquet de biscuits à la cerise qu'il sentait à présent gigoter au fond de son estomac, cherchant à prendre leurs aises. Maintenant, il ne rêvait plus que d'un bon hot-dog farci d'oignons piquants, huileux et visqueux, avec un seau rempli de thé glacé.

À une Nell inconsciente, il chuchota :

— Je suis la proie de désirs insatiables...

Puis il partit de son petit rire haut perché, la tête nichée au creux du coude. Les biscuits aux cerises ronchonnèrent, tapotèrent leurs petits oreillers puis s'installèrent de nouveau confortablement.

Si Skirving ne pouvait pas manger correctement chez Nell, c'est que sa colocataire Trish achetait absolument n'importe quoi. Cette dernière se vantait d'être capable de faire ses emplettes complètement beurrée à 4 heures du mat' – l'idéal quand on voulait avoir la boutique à soi, sans que quiconque se répande en exclamations désapprobatrices au spectacle de vos lubies... Comme de tripoter tous les fruits en rayon, de s'affaler sur les étalages ou encore de s'endormir au milieu des rouleaux de papier toilette… Si le réfrigérateur regorgeait de bêtises à grignoter (et de rien d'autre pour ainsi dire), la faute à qui ? À Trish. Et encore, Skirving ne comptait plus les fois où il avait rouvert le frigo pour y découvrir une chaussure, un porte-monnaie ou les clés de voiture perdus au milieu des cookies, de l'houmous et des méga-tubes de guimauve fantaisie. Il y avait aussi déniché si souvent la gamelle du chat que ce petit monstre agressif avait depuis longtemps quitté son foyer pour s'installer chez la voisine du dessus.

Néanmoins, Trish étant en déplacement, Nell et Skirving avaient eu l'appartement pour eux seuls pendant deux jours. La veille au soir, ils avaient donc arpenté, main dans la main, les rayons du supermarché, prenant tout ce qu'ils aimaient, et s'autorisant ces petits écarts que seul un long week-end de paresse peut justifier.

Tendant la main, Skirving écarta doucement une mèche de cheveux du visage de Nell. Même là, étendue sans connaissance sur le sol de la cuisine, il la trouvait renversante. Quand il l'avait vue pour la première fois, tel un adolescent intimidé, il n'avait su où poser le regard. Bien sûr, comme la plupart des garçons, il avait son « type » de fille, mais personne ne s'attend à ce que son idéal féminin débarque avec un sourire ravageur aux lèvres, et marche droit sur lui pour lui parler. Pourtant, c'était précisément ce que Nell avait fait.

Ensuite évidemment, autour d'une tasse de café, tous deux avaient ri de sa méprise. Elle avait été si certaine de le connaître, si certaine qu'ils s'étaient déjà rencontrés, mais voilà, elle se retrouvait à discuter avec un parfait inconnu.

Tout en bavardant avec elle ce jour-là, Skirving n'avait rien tant désiré que de tendre une main pour caresser sa peau lisse et diaphane. Chaque fois qu'elle riait, de jolies petites fossettes apparaissaient sur ses joues. Lorsqu'elle parlait, sa chevelure dorée s'animait, luxuriante, et des boucles folles caracolaient sur ses épaules.

Il n'osait croire à sa bonne fortune. Cette fille était un don du ciel. Nell était la femme qu'il cherchait, et il avait l'intime conviction que tout se passerait bien. Il avait bu son café à petites gorgées, guetté le moment propice, puis proposé de l'emmener dîner le lendemain. Evidemment, elle avait accepté.

À partir de là, tout s'était révélé si simple. Avec elle, tout tombait à point, si bien qu'au seul souvenir des innombrables efforts et compromis que ses précédentes relations avaient exigé, Skirving était horrifié. Nell était la réponse aux questions qu'il s'était posées durant toutes ces années.

Petit à petit, les yeux de la jeune femme recommencèrent à papilloter sous ses paupières baissées ; Skirving entendit sa respiration se modifier et écouta les petits gémissements qui lui échappaient à mesure qu'elle revenait à la conscience. En la voyant battre des cils, il admira les paillettes dorées qui illuminaient le bleu de ses iris.

Il s'assurait toujours que la première chose que Nell aperçoive à son réveil soit le sourire qu'il lui offrait, et aujourd'hui, il ne dérogea pas à son habitude. Il observa son visage, regrettant de ne pouvoir se rappeler combien elle avait été belle. Sa mémoire défaillait, perturbée par le triste spectacle du nez et des lèvres tordus et tuméfiés de la jeune femme.

Il se pencha sur elle, prenant soin d'éviter la nappe de sang chaud qui s'étendait doucement sur les feuilles de plastique, empruntant les sillons du carrelage. Il observa dans les yeux de Nell le retour de la conscience qui les fit s'allumer, puis celui de la mémoire qui les fit s'ouvrir démesurément.

Lorsque Skirving parla, sa respiration était presque aussi haletante et précipitée que celle de Nell.

— Ma chérie, écoute-moi très attentivement car il ne te reste pas beaucoup de temps. Il y a quelque chose que j'aimerais que tu entendes.

Il marqua une pause, espérant que la respiration affolée de Nell s'apaiserait. À chaque effort qu'elle faisait pour aspirer un peu d'air, son corps brisé était parcouru de spasmes. Le moindre frémissement aggravait l'hémorragie.

Elle tenta de le toucher, mais à chaque fois il s'écarta, les yeux rivés sur la main qui se tendait devant lui. Il ne pourrait tolérer le moindre contact avec cette chair moite. Afin de reprendre contenance, il prit une grande inspiration, puis leva l'index pour imposer le silence. Le corps de Nell s'affaissa, et de petites bulles de sang et de salive s'accumulèrent aux coins de sa bouche.

— Tu es... tu étais... Je voulais le monde entier pour nous deux, peux-tu comprendre ça ? Toi et moi, nous étions faits l'un pour l'autre, on aurait pu passer toute notre vie ensemble, tu sais.

Secouant la tête, il leva le sourcil, la mine intransigeante.

— Si seulement tu m'avais laissé faire, je n'aurais reculé devant rien pour que tout soit parfait. Nous aurions pu rester ici, ensemble, mais tu as tout bousillé. Si seulement tu avais pensé à...

Elle battit des paupières, et en cherchant le mot juste, il perdit le fil. Il se rassit un instant, attentif à la fraîcheur de l'air conditionné sur sa peau luisante de sueur. Il frissonna. Cela l'aida à se calmer et à réguler sa respiration. Il avait besoin de rassembler ses esprits ; Nell n'en avait plus pour longtemps. Plus que tout, il désirait graver dans sa mémoire leurs ultimes instants ensemble.

Le souffle de la jeune femme faiblissait. Skirving baissa les yeux vers elle. Voyant les paupières qui frémissaient, il se mit vivement à genoux, faisant crisser sous lui la bâche en plastique. Pour la dernière fois, il approcha son visage tout près de celui de Nell, et siffla entre ses dents :

— Estime-toi heureuse, connasse. J'aurais pu te brûler vive.

Il s'adossa au mur de la cuisine, enivré mais exténué, et regarda la lueur de vie quitter les yeux de Nell. Sans attendre de la voir expirer, il se remit sur ses pieds, s'étira puis fit craquer ses phalanges. D'où il était, il examina une fois encore la cuisine avec attention. Convaincu qu'il ne laissait rien de compromettant derrière lui, il ôta ses gants en latex souillés, les retourna et les glissa soigneusement dans une poche latérale plastifiée de son petit sac à dos, avant de tirer la fermeture éclair et de balancer le sac sur son épaule.

Puis il gagna le seuil de la véranda, à l'arrière du bâtiment, et glissa les pieds dans la paire de tennis qu'il avait achetée en solde au Wal-Mart l'été précédent. Une fois à l'air libre, il replia les feuilles de plastique propres, les rangea dans son sac et, sans un regard en arrière, descendit calmement le vieil escalier de bois avant de traverser le jardin entretenu avec soin. Parvenu à la palissade, il se faufila par une brèche jusqu'à la rue surplombée de lignes à haute tension qui bourdonnaient comme un chœur de grillons frénétiques. Un coup d'œil à droite et à gauche lui confirma qu'il n'y avait personne en vue et, satisfait de lui-même, il se dirigea vers l'arrêt de bus le plus proche.

En moins d'une heure, il avait pris son train et, confortablement installé, s'était assoupi. Il dormait toujours quand le train franchit la frontière de l'État. Il fut réveillé peu après minuit par un contrôle de douane mais ni lui ni ses papiers ne retinrent bien longtemps l'attention des agents indifférents. Il décida alors que le nom de Skirving sonnait bien, et résolut de le réserver à un usage ultérieur.

Moins de vingt-quatre heures après que Skirving eut filé à travers l'Amérique du Nord, Trish Delaney revint de sa mission à Boston, sur la côte, complètement vannée.

Onze heures de retard pour une seule de vol, c'était déjà pas mal. Mais ces deux cents grenouilles de bénitier, brusquement surgies dans la salle d'embarquement, avaient achevé de faire de ce voyage un cauchemar. Trish avait frémi lorsqu'elle avait vu s'approcher une femme en blouse verte avachie, la tête couverte de petites nattes. Puis en apercevant le vaste badge jaune épinglé au-dessus de sa volumineuse poitrine, elle était restée bouche bée. On y lisait, en grosses lettres chaleureuses, la formule suivante : « Apôtre de la Parole de Dieu ». Tout en ingurgitant une rasade de sa canette de bière, Trish avait rivé un regard intense droit devant elle, sur une tache de graisse maculant le comptoir, et s'était efforcée de dégager les ondes les plus antipathiques possibles. Elle percevait, tout près de sa joue, le souffle fétide de la femme. Non, elle n'y couperait pas. Le coup des vibrations hostiles avait déjà échoué avec quelques nases dans des bars de nases, ou avec certaines assistantes un peu trop enthousiastes. Voilà qu'elles se montraient une fois de plus inopérantes et l'abandonnaient aux mains d'intégristes religieux. Elle s'en voulait de manquer de savoir-faire dans ces situations à la con.

La brave dame posa la main sur l'épaule de Trish, sans remarquer le tressaillement d'horreur que son geste déclenchait, et lui fit des yeux de cocker en lui tendant une photocopie de textes de chansons, avant de passer à sa victime suivante — un pauvre type qui semblait à deux doigts de feindre la crise cardiaque rien que pour y couper.

Les chants, qui commencèrent vingt minutes plus tard, devaient se prolonger durant les neuf heures de retard qui s'accumulèrent, les quatre-vingt-cinq minutes du vol et la demi-heure pendant laquelle Trish dut attendre son bagage devant le tapis roulant à La Guardia. Tandis que le mécanisme se mettait enfin en branle, la brave dame s'approcha de nouveau pour lui demander si elle pouvait prier pour elle. La réponse de Trish n'aurait guère plu à Jésus, mais « l'Apôtre de la Parole de Dieu » pria néanmoins, jusqu'à ce que le bagage arrive, et Trish en vint à se demander si la femme n'avait pas prié pour que son sac arrive en dernier.

Quand Trish quitta enfin l'aéroport à l'arrière d'un taxi, elle frisait l'incohérence. Elle tenta d'appeler Nell, mais n'obtint que son répondeur. Peu importait, finalement. À ce stade, elle se serait confiée à une aubergine, pour peu que celle-ci ait l'air de l'écouter. Elle continua à divaguer au téléphone.

— Rien que des légumes cuits à la vapeur. De la salade. Plus de feuilles de salade que ne saurait en dévorer un élevage entier de lapins de garenne. Sans déconner, ma fille, ces gosses sont si maigres qu'elles doivent trimballer leur estomac dans leur sac à main. Parce que je te le dis, moi, il ne doit plus y avoir un pet de place dans leurs petits corps décharnés. J'ai vu des lacets de chaussure plus épais qu'elles. À chaque foutu repas, c'est poulet grillé et poisson. Bouffer des rideaux en salade serait plus marrant. Ce soir, je te jure que je m'envoie une boîte king-size d'ailerons de poulet frits à moi toute seule. Et encore, je vais t'enduire tout ça d'huile et te les refaire passer à la poêle. Et y a intérêt à ce que ce soit servi avec une montagne de frites. Et du coca. Un bon vieux coca frais, bourré de sucre et de calories ! Sans oublier le foutu seau de crème glacée. Et après ça, je me vautre dans mon canapé, en pyjama, et je légume en regardant la télé par-dessus ma bedaine distendue. Et si j'arrive encore à respirer, je m'offrirai une portion de ces piments Jalapeño farcis au fromage que je tremperai dans cette mousse apéritive écarlate, toxique à souhait, qui doit probablement luire dans le noir !

De la cuisine, Skirving écoutait, espérant qu'elle finirait par la fermer.

Au troisième bip de sa batterie à l'agonie, Trish coupa la communication et se remit à psalmodier la formule magique qui lui avait permis de traverser sans disjoncter ces quatre jours à gérer l'ego de top models pleurnicheuses.

— Une bière glacée. De la tourte. Des tonnes de chocolat. Une bière glacée. De la tourte. Des tonnes de chocolat. Une bière glacée…

Elle continua à marmonner jusqu'à ce qu'elle eût ouvert la porte d'entrée et franchi le seuil de l'appartement. Tout son appétit s'évanouit lorsqu'elle fut enveloppée par le nuage putride venu du fond de la maison, et dont la touffeur de cette fin d'été avait favorisé le pestilentiel épanouissement.

— Eh ben mon vieux ! balbutia-t-elle. Y a un rat crevé, ici ?

Moins d'une heure plus tard, Trish était réconfortée par une femme-flic dans son salon pendant que deux inspecteurs de la Criminelle et une équipe de médecins légistes s'activaient dans la petite cuisine.

Ce matin-là, Doug McLeod s'était recouché, et avait écouté la radio de son voisin tout en épluchant son courrier. En dehors des trois attrape-couillon qui lui promettaient monts et merveilles moyennant un simple appel à des numéros surtaxés, il y avait juste un relevé bancaire et ce qui ressemblait à une lettre de sa sœur Susie. Toutes choses étant relatives, Doug choisit de garder le meilleur pour la fin, et ouvrit d'abord la lettre de sa sœur. Un simple coup d'œil au courrier lui confirma tout ce à quoi il s'attendait. Depuis le décès déjà lointain de leur mère, Susie avait endossé la charge de chef de la propagande du clan McLeod. Ceci afin de s'assurer qu'il ne se passe pas six mois sans que Doug ne soit rappelé à ses devoirs inaccomplis de fils, de frère ou d'oncle. Il parcourut les nouvelles de la famille, se rebiffa contre une invitation à venir passer Thanksgiving avec eux, puis maugréa « bien à toi, ma chère sœur » avant de rouler la lettre en boule et de la jeter à travers la pièce. Elle s'en alla rejoindre le tas de détritus amoncelés au pied de la corbeille à papier.

L'état de ses finances ne le réjouit guère plus. Grimaçant à la lecture de son relevé bancaire, il se retourna pour tenter de se rendormir, grognant que quelques heures supplémentaires payées à enquêter sur un bon petit crime seraient les bienvenues.

Deux heures plus tard, debout à la fenêtre de Nell Donaldson, Doug se repentait de ne pas avoir fait preuve de plus d'humilité. Levant les yeux au ciel, il ronchonna tout bas : « Je n'en demandais pas tant, nom d'un chien ! Un simple petit meurtre par arme à feu, pas de témoins, un mois de vaine investigation, une pile de paperasse à verser aux affaires non élucidées, et de quoi m'offrir une semaine à Hawaï... Voilà, un dossier dans ce goût-là. Pas cette saloperie. Ça sent la sale affaire à plein nez ! »

Doug aurait juré qu'il entendait le destin se rire de lui.

Il se gratta l'aile du nez, se libéra d'un très long soupir puis avala le fond de sa tasse de café froid.

Quatre ans avant que Doug n'ajoute Nell Donaldson à ses cauchemars, dans l'Illinois, l'agent de sécurité Steve Bassing avait désespérément attendu le SAMU, assistant impuissant à l'agonie d'une blonde aux yeux bleus qui s'étouffait à ses pieds. Les gargouillis de la fille qui suffoquait lui flanquaient la nausée et, faute de connaître les premiers secours à prodiguer, il n'avait rien pu faire d'autre que de tenter vainement de calmer la malheureuse à chaque fois que son regard fou de panique et ses mains frénétiques s'agrippaient à lui.

Trois semaines plus tôt, le nouveau petit ami d'Emily, atteignant le sommet de l'orgasme, y était allé un peu fort en lui serrant la gorge. Pendant plusieurs jours, cela s'était avéré douloureux, mais le médecin ne s'en était pas inquiété. Citant d'autres cas improbables glanés au fil des ans, où la passion avait fait quelques ravages, il avait assuré à Emily qu'hématome et rougeurs disparaîtraient bien vite. En guise de conclusion, il avait suggéré que la prochaine fois, ce soit elle qui chevauche son partenaire.

Moins d'un mois plus tard, un jeudi matin bien calme, l'os hyoïde de la jeune femme, fissuré et gravement fragilisé, avait fini par se rompre au beau milieu d'un magasin de chaussures, provoquant une suffocation qui l'avait emportée en moins d'une minute.

Aujourd'hui encore, Steve devait prendre une profonde inspiration et expirer complètement avant de pouvoir avaler quoi que ce soit. Chaque fois que quelqu'un toussait ou se raclait la gorge près de lui, il était pris de malaise. Il avait vu Emily mourir sous ses yeux, et à présent, il était assailli de cauchemars où il revivait invariablement la scène. Incapable de détourner le regard, il entendait tous les hoquets qu'émettait la pauvre fille, et sentait ses ongles lui lacérer les jambes. À chaque fois qu'il refaisait ce rêve, il se réveillait en larmes, le souffle rauque et précipité, cherchant follement sa respiration en tentant d'endiguer la panique qui oppressait ses poumons. Seul dans le noir, il se disait que peut-être, son châtiment pour n'avoir pas su la sauver, serait de subir le même sort.

À l'écart du modeste cortège funèbre recueilli au bord de la fosse, Skirving regardait les parents d'Emily faire leurs adieux à leur fille unique. Il aurait voulu leur parler du potentiel fabuleux qu'elle avait en elle, leur dire combien ses intentions avaient été bonnes et combien il avait voulu l'aimer. Mais il ne le pouvait pas, car autrement, il aurait aussi dû leur dire à quel point elle l'avait déçu et comment elle avait contrarié ses projets. Cette salope était trop stupide pour s'apercevoir de ce qui était bon pour elle.

L'homme derrière lequel il se tenait se tourna vers lui et le dévisagea un instant. Skirving se pétrifia. Avait-il parlé à voix haute ? Il attendit un peu, mais personne d'autre ne lui prêta attention. Avant la fin de l'oraison, il recula, puis quitta le cimetière par un petit portail, se dirigeant vers la gare routière, pour récupérer ses bagages entreposés à la consigne et filer au sud-est.

Dix-huit mois plus tard, un flic de Virginie, Matt Tyler, fut appelé dans un immeuble en copropriété à Richmond. La célibataire qui y résidait avait depuis peu un nouvel homme dans sa vie, mais tout ce que les voisins pouvaient déclarer, c'était que le type, de taille et de corpulence moyennes, avait les cheveux bruns. Matt le savait par avance, l'investigation serait pour ainsi dire terminée avant de commencer, à moins qu'un élément solide n'apparaisse subitement. Discrète, la victime avait mené une existence solitaire, travaillant à domicile. Elle avait toujours été une locataire tranquille et responsable, aimable avec ses voisins lorsqu'elle les croisait dans l'escalier. Ce que les flics trouvèrent, ce fut une femme qui avait réduit sa propre langue en bouillie en la mâchant comme un chewing-gum, avant de s'étouffer dans son propre sang. Au vu de ses blessures secondaires, il ressortait clairement qu'elle n'avait pas bénéficié d'une mort rapide.

Après que l'autopsie eut révélé qu'elle avait reçu une dose mortelle d'un composé d'atropine, une intuition poussa Tyler à faire analyser le contenu du réfrigérateur de la victime. Dans tous les aliments, on décela des traces de belladone. Avec peu d'empreintes, pas de signalement précis des personnes ayant rendu visite à la victime, pas d'ennemis connus et un poison présent en abondance dans la nature, Matt se retrouvait sur une piste aussi claire qu'une nuit sans lune. Son seul espoir d'expliquer la fin brutale, solitaire et mystérieuse de Rachel résidait dans l'étrangeté des tortures infligées, laquelle permettrait peut-être d'établir un lien avec une autre affaire lorsqu'il enregistrerait le dossier au bureau des affaires non élucidées. À présent, Steve Bassing et Matt Tyler étaient les seules personnes au monde qui auraient pu éclairer Doug. Mais tous trois ne se rencontreraient jamais. Chacun avait ses propres démons, hanté par la cruauté et la souffrance, et chacun composait avec de façon à donner le change en dissimulant soigneusement ses cicatrices.

Un simple coup d'œil à la victime avait été plus que suffisant si tôt dans la journée, et Doug regretta instantanément d'avoir pris un petit-déjeuner. Il sut qu'à son retour à la maison, deux bons verres de Johnny Red ne seraient pas de trop pour que la journée s'améliore.

Le problème avec un décès aussi mystérieux que celui de Nell Donaldson, c'est que le patron de Doug, affolé du vif intérêt que cette affaire ne manquerait pas de susciter, allait le tanner jour et nuit, et réclamer à corps et à cris un résultat qu'il pourrait annoncer fièrement à la presse. Une enquête criminelle menée dans les règles ne suffirait pas à satisfaire le bonhomme, et Doug savait que d'ici quarante-huit heures, il lui faudrait dégoter un charlatan capable de déblatérer son jargon à propos de mutilations rituelles et autres balivernes à la mode. Ce qu'il redoutait par-dessus tout, c'était tous ces abrutis à l'affût d'idées pour pondre un bouquin ou un scénario à succès, qui savaient déjà ce qu'ils porteraient le jour où ils passeraient à la télé, et qui ne manqueraient pas de lui pourrir la vie en s'immisçant dans son enquête. Doug ronchonna. Il fallait que tout se déroule en interne, et presto.

— Putain de parasites ! râla-t-il encore, épongeant de ses mains la sueur de son visage avant de les essuyer sur sa chemise trempée.

Daniel, le partenaire de Doug, se trouvait encore dans la salle à manger, s'évertuant à tirer une déposition intelligible de la colocataire, mais pour l'instant, Doug préférait rester dans la cuisine et observer les investigations de l'équipe médico-légale. Il avait déjà brisé la règle d'or : il avait regardé le visage de la victime. Il savait qu'il n'avait pas la moindre chance de trouver le sommeil cette nuit.

Finalement, tu m'en mettras un troisième, Johnny, mon pote, songea-t-il.

— Doug ?

— Bon sang, mais comment fais-tu pour bouffer dans des circonstances pareilles ? Espèce de malade !

En passant la langue sur ses lèvres, le coroner sourit, dévoilant une dentition mouchetée de graines de pavot. Le cerveau de Doug lui rappela obligeamment les œufs au bacon qu'il avait ingérés juste avant d'être appelé. Il déglutit péniblement, s'efforçant de chasser la sensation de l'albumine fondante en train de glisser sur sa langue.

Il se racla la gorge, s'imaginant déjà au bord du lac quand viendrait le weekend avec le ciel et les montagnes pour seul horizon. Avec un peu de chance, aucun poisson ne viendrait troubler la sérénité que lui procurait la pêche. Non sans effort, il réprima sa nausée.

— Tu veux un morceau ? lança Andy avec un ricanement, en lui tendant la fin de son bagel au pastrami.

— Enfoiré ! grogna Doug en déglutissant de plus belle.

Il s'efforça d'imaginer de duveteux nuages roses, mais tout ce qu'il parvenait à voir, c'étaient des cadavres tout boursouflés et violacés ; au fond de sa gorge, il sentit la brûlure d'une remontée acide. Il fit la grimace au coroner.

— Allez, fais pas ta mijaurée !

— Nom de Dieu, depuis le temps, tu trouves encore ça drôle ?

— Non, pas vraiment… Allez, à la tienne ! fit Andy en engloutissant le dernier morceau de son sandwich, qu'il mastiqua bruyamment, les yeux posés sur le cadavre.

Il fit encore goulûment claquer ses lèvres devant Doug avant de passer à la suite.

— Un cas des plus limpides, mon cher, reprit-il en regardant le flic qui avait pâli. Le type que tu cherches est grand, il a l'air fatigué, il est mort en 1600 et quelque, et répond au nom de Matthew Hopkins.

Doug s'accouda en arrière au bord de la fenêtre, leva ses sourcils grisonnants vers le coroner, et attendit.

— Vincent Price dans *Le Grand Inquisiteur*, Doug, continua Andy, ignorant le regard sarcastique et le grognement acerbe qu'il s'était attiré. Je suis sérieux, ajouta-t-il en se léchant les doigts avant de passer des gants en latex et de s'agenouiller. Elle a subi le sort autrefois réservé aux sorcières. La seule torture qu'il lui ait épargnée, c'est le bûcher.

C'était rare que Doug reste sans voix. Il fixa la nuque du coroner qui fit signe à un collègue et s'empara d'un objet empaqueté, qu'il garda pour l'instant hors de la vue de Doug.

Il pouvait bien attendre. Quoi que ce fût, il savait qu'une fois qu'il l'aurait vu, il aurait beau faire, il ne parviendrait plus à ôter cette vision du musée des horreurs qui lui envahissait l'esprit.

— Une sorcière ?

Il aurait voulu en rire, mais il n'y avait vraiment rien, dans cette pièce, qui prêtât à rire.

Revenu près de lui, Andy lui toucha doucement le coude pour qu'il s'écarte du champ du photographe qui prenait des clichés du cadavre.

— Tu vois… les marques sur sa gorge, là et… là ? montra-t-il.

Doug regarda au-delà des abrasions et des contusions qui lui avaient sauté aux yeux au premier coup d'œil, et remarqua de fines stries rouges ainsi que des taches, sur le cou de la victime.

— Je te parie 20 dollars que l'autopsie révélera plusieurs obstructions de l'œsophage. Le type s'est servi d'un truc brûlant – l'équivalent moderne des charbons ardents, quoi que ça puisse être – peut-être du verre chaud ou de l'huile bouillante. Quoi qu'il lui ait introduit dans la bouche, ça lui a bel et bien ébouillanté la langue, les lèvres et la gorge, dans le but probable de l'empêcher de parler. Ces traces noirâtres autour de sa bouche, ça n'est pas que du sang.

Doug hocha la tête, respirant le plus lentement possible et s'efforçant de ne pas imaginer ce qu'avaient été les dernières heures de cette femme sur Terre. Il fouilla nerveusement ses poches en quête de cigarettes, avant de se souvenir qu'il avait cessé de fumer. Il marmonna de furieuses imprécations contre un dieu auquel il ne croyait pas, puis plongea les mains au fond de ses poches vides.

Sans que Doug lui ait rien demandé, Andy lui passa une tablette de chewing-gum, puis lui fit contourner le cadavre. Dès qu'il vit mieux de quoi il retournait, Doug sut ce que le sac contenait. Son premier réflexe fut de se passer une main dans les cheveux. S'agenouillant, Andy leva les yeux vers Doug pour s'assurer qu'il avait toute son attention, puis désigna l'arrière du crâne de la femme, là où sa chevelure avait été repoussée de côté.

— J'ai vu des variantes de cette torture au cours de ma carrière, mais habituellement, il leur fallait au moins un étau. Il est fort, Doug. Ou fou de rage. Ou les deux. Regarde…

Il se releva pour lui montrer le sac.

Doug vit nettement le lambeau de cuir chevelu rose, et les traces noires là où le sang coagulé faisait comme des taches de Rorschach dansant devant ses yeux fatigués. La masse de cheveux blonds, souillés de sang et de fluides opaques, était étroitement enroulée autour de ce qui semblait être une baguette asiatique. Collés à l'intérieur du sac, il y avait des esquilles d'os et des bouts de matière rose gluante.

Quatre verres, Johnny…, souffla Doug pour lui-même.

— Apparemment, reprit le coroner avec un enthousiasme que Doug jugeait peu convenable, du temps où c'était une pratique courante, il arrivait un moment où un seul individu n'avait pas suffisamment de force pour continuer à tourner ce machin…

Il pointa du doigt la baguette dans le sac plastique.

— On coinçait donc la tête du supplicié dans un étau, et des gros bras se chargeaient de finir le travail. Le tout consistant à faire suffisamment de tours pour détacher un morceau de scalp.

Andy cessa de brandir le sac et marqua une pause.

— Ce qui m'échappe, c'est qu'il ne le lui ait pas fourré dans la bouche. Ou qu'il ne l'ait pas emporté avec lui. Enfin, tu vois, le bon vieux truc du trophée. En fait, on dirait bien qu'il ne manque aucun morceau d'elle…

— Et le visage ? demanda Doug.

— Incisé... Au Moyen-Âge, on parlait de « délivrance du souffle »... Encore une fois, il existe des tas de façons de faire se vider lentement quelqu'un de son sang. Nous sommes si bizarrement foutus, tu serais surpris… Bien sûr, on peut aussi faire ça vite, mais ce serait pure paresse. Une fois, j'ai vu un type qu'on avait ouvert de l'aine à l'œsophage, et…

Saisissant le regard de Doug, Andy s'arrêta net. Il croisa et décroisa ses jambes comme un gamin qu'on réprimande avant de reprendre.

— Bref, ce que je voulais dire, c'est que ces mutilations semblent s'inscrire dans une démarche spécifique. Il semble que c'était une jolie fille. Quel gâchis. Toujours est-il qu'il l'a tailladée à quatre reprises avec un instrument simple comme un rasoir à main ou une lame plate, puis il l'a retournée pour qu'elle se vide de son sang.

Doug résolut fermement de faire un crochet par le magasin de spiritueux en rentrant chez lui.

— Et avant que tu ne poses la question, conclut Andy en ôtant ses gants pour les confier à son assistant afin de s'essuyer une trace de moutarde sur le menton, jusqu'à aujourd'hui je n'avais vu pareilles conneries que dans des livres. Eh bien, Douglas, on dirait que tu as fini par te ramasser un malade de premier choix. Félicitations.

CHAPITRE 1

— On a déjà un jardin.
— Ce n'est pas un jardin, Mick, mais une jardinière.
— Y a des plantes dedans.

Kath jeta les annonces immobilières sur les cuisses de Mick, lui donna une tape à l'arrière du crâne, puis esquiva son indulgente contre-attaque.

— Au moins, jettes-y un coup d'œil, ajouta-t-elle en se retournant sur le seuil. Franchement, chéri, vingt minutes de marche pour atteindre le centre-ville, ce n'est pas la mer à boire...

C'est ainsi que, six mois plus tard, les parents de Cassie emménagèrent à Scarborough, un quartier en plein essor, avec de bonnes écoles, un grand parc et des tas d'enfants de l'âge de Cassie. Ils se la figuraient déjà faisant du roller dans ces rues tranquilles et s'entraînant au base-ball sur le gazon avec ses nouveaux copains.

Ils étaient installés depuis une semaine le long de ces voies non goudronnées bordées de maisons de style ranch avec l'inévitable Pontiac garée dans l'allée, quand une des mamans attendant avec Kath à la sortie de l'école lui apprit qu'au centre ville de Toronto, où l'on aimait les railleries, le quartier était surnommé la « Scarbérie ». Kath, qui appréciait de ne plus être empêchée de dormir par les concerts de sirènes nocturnes, ne s'en porta pas plus mal.

Dix mois après leur arrivée, le panneau « À vendre » disparut de la façade de la maison voisine. Peu après, les Hollier investirent les lieux, et Kath laissa passer deux ou trois jours avant d'aller se présenter à Mary. Les deux femmes passèrent l'essentiel de la matinée à bavarder par-dessus la haie mitoyenne.

— J'aurais adoré rester en ville, mais l'arrivée de Jen a tout chamboulé.

— Elle n'était pas prévue ?

— Mon Dieu, non ! Je pense que « surprise de dernière minute » serait une façon pleine de tact de présenter les choses. Ça nous apprendra à boire comme des trous et à faire des folies comme des adolescents insouciants. Sur le coup, il nous a fallu une bonne semaine d'affolement, de pleurs, de cris et de bouderies pour que le calme revienne… expliqua Mary en riant. Quand on a à nouveau touché terre, on s'est dit qu'à condition de ne pas trop manger, d'éviter le shopping et les sorties pendant une dizaine d'années, nous pourrions parfaitement assumer un bébé.

Mary fit une pause pour jeter un coup d'œil à la fenêtre de la chambre de Jen.

— Il faut croire que les dieux étaient avec nous, pourtant, parce qu'elle a tout de suite fait ses nuits, qu'elle souriait constamment et ne pleurait presque jamais. La gamine curieuse, douce et calme dont on n'oserait même pas rêver.

Kath soupira.

— Ah, on dirait que toute la tranquillité de Cassie est partie chez vous. Et vous nous avez refilé toute votre loufoquerie en échange…

— Vous pouvez la garder ! Bref, à l'automne dernier, nous nous sommes mis à chercher une maison sérieusement, et voilà où nous avons atterri. Exilés en Scarbérie ! Maintenant, tout ce dont je rêve, c'est que Jen se trouve plein de copines afin qu'elle cesse de réclamer un petit frère ou une petite sœur pour Noël, son anniversaire, ou je ne sais quel prétexte…

— Sans blague ! s'esclaffa Kath. Vous aussi, vous avez droit à ça ? Encore que ce dont Cassie aurait besoin, ce sont des serviteurs, plutôt que des frangins… J'étais vraiment persuadée qu'en déménageant par ici, elle se ferait à coup sûr de nouveaux amis.

— Et alors, ça n'a pas marché ?

Kath haussa les sourcils.

— Laissez-moi vous raconter notre sortie au parc devenue légendaire… Après une demi-journée tout entière de supplications et de menaces diverses — de quoi faire craquer un agent chevronné de la Protection de l'enfance — , j'étais parvenue à arracher Cassie à son arbre bien-aimé pour l'emmener au parc. Et une fois sur place, la première chose qu'a faite mon adorable petite, c'est de grimper tout en haut du premier arbre venu, et de refuser d'en descendre tant que les autres gosses ne seraient pas tous partis.

— Ah, répondit Mary, eh bien, Jen passe tant de temps le nez fourré dans ses bouquins que je ne suis pas certaine qu'elle ait remarqué notre déménagement.

Kath fit la grimace.

— Cassie pense que les livres, ça ne sert qu'à atteindre la boîte à gâteaux, ou à garder les portes ouvertes.

— Entendons-nous bien, fit vivement Mary, ce n'est pas que nous ne nous en occupons pas, c'est juste qu'elle ne paraît pas avoir conscience du reste du monde !

— Bien, sourit Kath. Dix dollars qu'elles seront inséparables d'ici la fin de la semaine !

CHAPITRE 2

Un printemps, alors que mon anniversaire approchait, mes parents décidèrent qu'ils voulaient un chien. Ils n'arrêtaient pas de me répéter combien ce serait génial d'avoir un chien, comme s'ils espéraient me convaincre que l'idée venait de moi…

À l'époque, nous vivions au deuxième étage d'une résidence. Mes parents passèrent donc deux ou trois semaines à amadouer le propriétaire afin qu'il nous donne son autorisation. Ma mère alla jusqu'à lui faire des gâteaux, alors que tout ce qui comptait pour ce vieux crétin acariâtre, c'était que le chien n'aboie pas et ne fasse pas de crottes dans l'ascenseur. Quand leurs promesses s'avérèrent insuffisantes, leur argent, lui, le fut.

Une fois que mes parents eurent obtenu son accord, ils me traînèrent dans un refuge pour animaux pour en choisir un. Ils n'arrêtaient pas de me demander ce que j'aimerais, l'espèce, le sexe, alors que je m'en foutais complètement. Ils voulaient un chien, et je constituais le meilleur des prétextes.

Nous longeâmes d'innombrables cages. À notre vue, certains chiens aboyaient en se jetant contre les grilles, d'autres s'aplatissaient par terre, levant vers nous des yeux morts, comme s'ils savaient qu'on ne les prendrait pas. Sur le chemin du retour, mes parents semblaient fiers d'avoir au moins pu sauver un clébard de l'euthanasie. Mais moi, je ne pouvais pas m'ôter de l'esprit que tous les autres chiens savaient qu'ils allaient mourir parce qu'ils n'étaient pas assez mignons. Je me demandais s'ils se rendaient compte qu'ils s'étaient faits avoir sur toute la ligne. Pour les enfants dont personne ne veut, il existe bien des foyers spéciaux… Mais eux, on ne les supprime pas au bout de sept jours, non. Eux, ils doivent grandir pour devenir des adultes dont personne ne veut.

Sur le chemin du retour, mes parents me demandèrent de lui trouver un nom, comme si ça pouvait faire de lui mon animal à moi. Mais je m'en fichais pas mal. Je l'ai baptisé Chien. Papa et maman ont fait semblant de trouver cela mignon.

Par une après-midi étouffante, l'été suivant, nous déjeunions tous à l'intérieur. Comme toujours, notre climatiseur de merde était en panne, alors, nous laissions les fenêtres ouvertes. Ce qui ne faisait qu'aggraver la situation.

Pendant que je débarrassais la table, mes parents se prirent le chou à propos du climatiseur et mon père partit en trombe boire un verre au bar du coin pour se calmer. Ma mère était tellement en rogne qu'elle parut en oublier jusqu'à mon existence, de sorte que je passai l'après-midi sur le divan, à regarder des dessins animés. Chien restait allongé sur le sol, haletant comme un débile. Lui et moi, on ne bougea pas de toute la journée.

Je sus que c'était l'heure de pointe quand, même avec le volume poussé au maximum, le téléviseur ne suffit plus à couvrir la rumeur du trafic routier. Je me levai pour aller fermer la fenêtre mais à la seconde où je décollai mes fesses du divan, un petit oiseau se posa sur le rebord. Chien se redressa brusquement, ses pattes glissant sur le parquet, et je me pris à espérer qu'il ne se mette pas à aboyer. Au parc, il devenait toujours fou avec les volatiles, il essayait de les effrayer et de les attraper en même temps. Mais cette fois-là, il n aboya pas. Je le vis aviser longuement le petit oiseau, puis me regarder droit dans les yeux avant de se précipiter à travers la pièce et de sauter sur sa proie, la gueule béante.

Au tout dernier instant, l'oiseau s'échappa, mais il était trop tard pour que Chien coupe court à son élan. Il s'envola littéralement par la fenêtre.

Quand je regardai par-dessus la rambarde, c'était comme s'il avait éclaté.

Je le détestais, ce putain de clebs à la con.

CHAPITRE 3

— Si tu peux lécher ton propre coude, t'es pas un garçon !

Ayant reçu l'injonction d'aller jouer avec d'autres gamines, Cassie s'était aventurée jusqu'au bord du trottoir. Elle y avait boudé pendant près d'une heure, se contentant de frotter les traces de boue sur sa salopette jusqu'à ce qu'il ne reste plus aucun espace propre entre les taches. Percevant des voix non loin d'elle, elle coula un coup d'œil dans leur direction, à travers sa frange. Consternée, elle vit des tongs roses qui traversaient la rue en traînant pour venir la rejoindre. Elle leva la tête, et poussa un lourd soupir.

Avec un air de défi, Heather Mackie se tenait maintenant devant elle, sanglée dans son jean à rubans aux poches brodées de papillons en paillettes. Tout comme ses tongs, son t-shirt était rose, impeccable, signe incontestable que jouer avec elle serait d'un ennui total. Sa longue chevelure blonde parfaitement raide et brossée s'ornait de nattes à rubans assortis, et ses sautillements faisaient tinter les dix ou douze bracelets roses qui ornaient ses poignets. Les mains sur les hanches, elle attendait une réponse.

De l'autre côté de la rue, Cassie aperçut trois blondes identiques pelotonnées sous l'arbre des Mackie, qui attendaient de voir si la nouvelle venue saurait relever leur défi ridicule.

Rien ne pouvait mettre Cassie de plus mauvaise humeur. Elle foudroya Heather de son regard le plus noir.

— Quoi ?

— Regarde, répondit la créature couverte de nattes en empoignant son propre bras pour le tirer vers sa langue tendue.

La pointe rosée toucha brièvement sa cible, laissant une trace collante de sucre sur la peau laiteuse.

— Tu vois ? s'écria Heather, fière de sa prouesse. Ça veut dire que je ne suis pas un garçon !

— Mais tu es une fille ! dit Cassie. Pourquoi as-tu besoin de lécher ton coude pour le prouver ?

Se penchant vers elle, Heather lui tira la langue avant de courir rejoindre ses amies, ses nattes dansant follement dans son dos. Dépitée, Cassie la regarda témoigner auprès des autres de l'incorrigible étrangeté dont la «nouvelle» faisait systématiquement preuve.

Heather et ses amies gloussaient derrière leurs mains en la considérant depuis le trottoir d'en face. Cassie les haïssait de toutes ses forces. Avoir droit à *ça* à l'école, c'était déjà bien assez… fallait-il qu'il en soit ainsi le samedi aussi ?

Elle rentra furtivement à la maison en passant par la cour du fond, où l'accueillit le dévoué Sam avec ses grandes oreilles. Épuisée par les exigences injustes de sa mère qui, de toute évidence, ne prenait pas en considération la bêtise des autres fillettes, elle s'allongea dans le gazon épais. Elle laissa la chaleur de l'après-midi dissiper la vision inquiétante de cette morveuse de Heather Mackie, et de ses rituels étranges et humiliants.

Tandis qu'elle fermait les yeux pour se protéger du soleil, les bruns et les verts du jardin envahi par les herbes folles s'estompèrent en une brume orangée qui lui chauffait agréablement les paupières. Trop duveteuses et dodues pour se presser, des abeilles bourdonnaient paresseusement autour d'elle. À son côté, la respiration de Sam soulevait ses cheveux et lui rafraîchissait l'oreille. Apaisée par la chaleur soporifique, elle s'offrit le plaisir de s'imaginer en train d'attacher Heather par ses nattes à une branche d'arbre et de la tartiner de confiture avant de la livrer aux insectes.

Hélas, elle en était au meilleur moment de sa rêverie, quand elle entendit crier son nom. Cassie fit la grimace, certaine qu'on la dérangeait pour quelque tâche domestique, et par conséquent inutile.

On l'appela de nouveau, d'une voix plus forte et insistante qu'il aurait été difficile d'ignorer. Irritée par ces incessantes tracasseries, Cassie rouvrit les yeux, s'assit, et épousseta sa salopette du mieux qu'elle put tout en pestant contre l'infortune d'avoir huit ans.

L'agacement personnifié, Cassie traversa la pelouse à l'abandon, gravit la volée de marches à l'arrière de la maison, puis pénétra dans la cuisine baignée de soleil, tout en se demandant ce qu'elle avait bien pu encore faire de mal. Elle adopta la démarche la plus innocente possible et regretta, une fois de plus, de ne pas avoir de petit frère à qui faire porter le chapeau.

À la vue de sa fille, Kath McCullen dut réprimer un éclat de rire. Elle se demandait ce que Cassie pouvait bien fabriquer pour se retrouver crottée comme ça. La petite était couverte de boue des pieds à la tête. Kath rêvait d'une machine à laver révolutionnaire où l'on pourrait fourrer les enfants tout habillés.

— Les voisins ont une petite fille qui doit avoir ton âge. Pourquoi n'irais-tu pas leur dire un petit bonjour en leur apportant un cookie ?

Cassie ne voulait pas aller dire un petit bonjour ni quoi que ce soit d'autre. Depuis cinq jours, elle en voulait à mort aux voisins qui avaient couvert la mare du jardin d'un treillis métallique, alors qu'elle avait passé des semaines à imaginer les moyens les plus dégoûtants de torturer les têtards.

N'ayant jamais vraiment assimilé le concept de partage, Cassie en avait nourri un ressentiment sans borne.

Après avoir passé toutes ses après-midi pendant près d'une semaine à fulminer du haut de son arbre, elle avait épié la nouvelle venue qui – horreur ! – portait des robes et de jolies chaussures.

Une autre Heather Mackie ! avait déduit Cassie, totalement révoltée par tant d'injustice.

Elle n'avait pas encore vu Jen porter de rose, mais, elle n'en doutait pas, ce n'était qu'une question de temps.

Devant l'odieuse suggestion d'un contact en bonne et due forme, Cassie prit son air le plus farouche, ce qui, pour des raisons qui lui échappaient, ne suffisait jamais à dissuader sa mère.

— Prends un cookie et va dire bonjour, Cassandra.

S'entendre appeler Cassandra signifiait généralement qu'elle venait de perdre la partie. En toute logique, le « *c'est comme ça et pas autrement* » n'allait pas tarder à suivre. Avec toute la mauvaise humeur dont une enfant de huit ans est capable, Cassie se saisit des cookies que sa mère lui tendait, et se promit instantanément de garder le plus gros pour elle. Elle leva vers sa mère une mine aussi renfrognée que possible.

— Je crois qu'elle s'appelle Jennifer-May, ajouta Kath.

— Quel nom ridicule ! grommela Cassie, bien qu'elle ressentît un soupçon de commisération pour sa nouvelle voisine.

Se faire appeler Cassandra, c'était déjà une tare. Mais Jennifer-May ! C'était encore pire. Traînant les pieds, elle ressortit en plein soleil.

Dès leur emménagement, Cassie s'était amourachée du jardin de derrière. Elle aimait cet endroit plus que n'importe quel autre, et tout ce dont elle pouvait avoir besoin s'y trouvait. Elle avait compris depuis longtemps que la seule raison de supporter les autres gosses, c'était que jouer gentiment avec eux pouvait lui rapporter un surcroît de dessert, des friandises ou des cadeaux. Les filles en rose, ce n'était que de la pâtée pour ogres.

Lorsque son père était à la maison, il veillait à ce que la pelouse de devant soit toujours impeccablement tondue. Quant à l'entretien du jardin de derrière, il ne trouvait jamais le temps de s'en occuper. C'était devenu une véritable jungle. Néanmoins, Cassie avait mis au point une liste de diversions possibles, qu'elle gardait secrètement sous la main pour le cas improbable où son père entreprendrait de s'attaquer à son royaume sauvage.

Ce vieux pommier, qui dominait l'angle sud-est, elle l'affectionnait tout particulièrement. Son gros tronc d'un mètre cinquante de diamètre se subdivisait en une demi-douzaine de branches horizontales qui se tordaient et s'enroulaient de mille façons curieuses. Et ce qui faisait l'originalité de cet arbre, c'était une grosse branche solitaire qui partait du tronc à moins de trente centimètres du sol, et s'étirait démesurément avant de se retourner subitement sur elle-même, comme pour aller chatouiller les autres branches sous les bras.

De loin, Cassie croyait voir là les mains arthritiques de sa grand-mère, en plus chaud et en moins rugueux. Et puis celles-ci au moins ne risquaient pas de lui pincer les joues en braillant pour la quinzième fois qu'elle avait tellement grandi… Récemment, Cassie avait à son tour pincé la joue de sa grand-mère en lui déclarant qu'elle avait terriblement rapetissé. L'hilarité de son père n'avait pas empêché qu'elle soit privée de télé pour la semaine.

Depuis leur premier jour dans cette nouvelle maison, l'arbre avait été le sanctuaire de Cassie, le refuge où elle se sentait protégée de toutes les injustices et de tous les fléaux qui affligeaient sa vie d'enfant, comme sortir les poubelles, manger des légumes ou se laver de la tête aux pieds pour bien présenter devant des invités.

Étendue de tout son long sur la grosse branche du pommier, Cassie formait des projets en vue de l'âge adulte et de l'autonomie qu'il lui apporterait. Un jour, elle pourrait s'envoyer une dizaine de hot-dogs au petit-déjeuner, attacher une ribambelle de ballons gonflés à l'hélium à la queue du chien pour voir s'il s'envolerait, ou encore régler définitivement la question des lessives en adoptant la solution la plus rationnelle : se balader toute nue. Cassie avait hâte de grandir pour prendre elle-même ses décisions et jouir d'une liberté sans bornes. Elle se délectait d'avance du jour où plus personne ne lui dirait quoi manger, quand aller se coucher, quoi porter, ou comment se comporter. Parce qu'être adulte, vraisemblablement, c'était pouvoir faire tout ce qu'on veut comme on veut.

Suspendue dans son nid douillet entre le ciel et la terre, Cassie s'embusquait parmi les branches usées. Elle y lisait des bandes dessinées, y jouait, y boudait, y conspirait et y ruminait. Avec un morceau de craie, un bout de corde et un tout petit peu d'imagination, l'arbre se transformait en château, en radeau, en baleine, en cheval, en dragon, en tour, en sous-marin, en fusée, en grotte, ou en vaisseau pirate. Parfois, elle aimait qu'il soit tout simplement un arbre, et se disait que s'il avait pu la serrer dans ses grands bras noueux et la bercer, son bonheur aurait été parfait. À un petit détail près.

Quelle que soit la forme adoptée par son arbre, il arrivait chaque jour un moment où elle devait se résoudre à le quitter. Kath passait la plupart de ses après-midi à négocier avec sa fille pour qu'elle consente enfin à s'attabler pour dîner plutôt que de se rendre malade à engloutir n'importe quoi accrochée à sa branche, en s'imaginant être une créature aperçue cette semaine dans ses bandes dessinées.

La première fois que cela se produisit, Cassie avait décidé de se prendre pour un paresseux. Quelle vie de rêve avait cet animal, qui passait dix-huit heures par jour à dormir dans des recoins chauds, ou suspendu la tête en bas à des branches d'arbre ! Ce fut l'une des plus exaspérantes semaines qu'elle ait jamais infligées à Kath et à Mickey. Tous les jours, ils ne cessaient de trébucher sur Cassie qui feignait d'être assoupie, roulée en boule un peu partout dans la maison, sur le sol sombre de la cuisine à 6 heures du matin ou bien dans le panier à linge — Kath avait d'ailleurs failli avoir une attaque lorsque le linge sale lui avait sauté au visage.

Mais le summum, ça avait été l'Aye-Aye, une autre créature arboricole que Cassie avait découverte au fil de ses lectures. Cette bête-là passait ses nuits à galoper à quatre pattes en émettant de petits couinements chuintants. À ce stade, Kath avait renoncé à expliquer le comportement de sa fille à qui que ce soit, mais elle se sentait prise au piège. Dans un sens, elle n'allait pas punir Cassie, car c'était grâce aux animaux des arbres qu'elle s'était mise à lire. Cela étant, jugeant qu'il y avait des limites à tout, elle refusait de cacher le dîner de sa fille sous des pierres ou de le lui étaler sur des branches comme elle le demandait. Frustrée, l'enfant s'était alors dépassée en matière de bouderie, coupant court à toute négociation jusqu'à ce que Kath mette de la glace au chocolat au congélateur et attende que Cassie fonde.

À présent, la fillette s'était entichée du jardin d'à côté, et avait décidé qu'elle ne laisserait pas ces encombrants voisins lui barrer la route. Sitôt le déjeuner fini, Cassie retournait épier du haut de son arbre, attendant que la famille Hollier quitte les lieux. Une fois les gêneurs partis, elle se faufilait par un trou commode dans la haie — lequel était apparu après qu'elle eut piétiné à mort des végétaux particulièrement tenaces.

Donc, ayant bien fait comprendre à la haie qui était le maître, elle avait apporté la mort et la désolation aux petits habitants de l'étang qui ne s'étaient doutés de rien. Il n'avait pas fallu longtemps aux têtards pour comprendre un fait primordial : pour survivre, ils devraient désormais s'enfouir dans les profondeurs limoneuses. Quand, sous son bâton, Cassie ne trouva plus de victimes à faucher, elle entreprit de courir entre les deux jardins, son imagination fertile bouillonnant de scénarios toujours plus élaborés. Elle partait à la rencontre de pirates crapuleux qui finissaient par faire montre d'un grand cœur, de princes qui volaient à la rescousse de belles princesses (lesquelles auraient été capables de se tirer elles-mêmes d'embarras, merci beaucoup, mais pourquoi se démener par une chaleur pareille ?) et d'explorateurs plutôt mignons qu'elle sauvait des griffes de cannibales affamés au moyen d'un mélange exotique de ballet, de karaté et, si nécessaire, de chants envoûtants aux vertus magiques.

Chaque fois que Kath jetait un coup d'œil par la fenêtre de sa cuisine, elle apercevait sa fille en pleine discussion avec des personnages invisibles, lâchant quelquefois des cris stridents. Elle traçait dans les airs de grandes arabesques, tailladait les feuillages d'inoffensifs buissons ou bombardait de cailloux les têtards acculés. Et bien sûr, la petite avait développé une surdité sélective concernant les interdictions d'aller dévaster le jardin des voisins.

Aussi ravie qu'elle fût de voir la créativité dont sa fille faisait preuve, Kath pensait que Cassie serait bien plus heureuse de mener ses aventures dans le jardin de derrière si seulement elle n'était pas toute seule aux commandes de son monde imaginaire. Cassie, de son côté, n'aurait eu besoin que d'une victime à ligoter à l'arbre.

Tout ça, c'était la faute de son père.

L'hiver précédent, lorsqu'il était resté à la maison pendant toute une merveilleuse semaine, il lui avait lu un conte où il était question d'un arc, d'une flèche et d'un garçon stupide avec un fruit posé sur le crâne. Le lendemain, elle était descendue dans le jardin avec toute une provision de pommes, mais ses plans avaient été contrariés par le manque évident d'armes à sa disposition. Sans se laisser décourager, elle avait décidé que des cailloux feraient tout à fait l'affaire. Tout d'abord, elle avait essayé de faire asseoir sagement Sam sous l'arbre. Mais, quoique débordant d'enthousiasme, un simple petit beagle ne satisfaisait pas aux conditions requises dans la mesure où ni le chien ni la pomme n'acceptaient de tenir en place.

Dans sa frustration, elle en vint à envisager de faire ses exercices de lancer de cailloux sur une banane posée de guingois sur le chiot assoupi. Mais ça n'allait pas, elle s'était trop écartée de l'intrigue du conte d'origine. Ce serait un garçon stupide et une pomme ou rien du tout.

Dans le parc l'après-midi suivante, elle avait abordé tous les garçons qu'elle connaissait, mais aucun d'eux n'avait paru particulièrement emballé par l'idée. Pour finir, et à contrecœur, elle s'était rabattue sur le stratagème classique, le « viens avec moi, j'ai quelque chose à te montrer » qui semblait marcher du tonnerre pour les autres filles. Mais là encore, le succès ne fut pas au rendez-vous. Sans doute parce qu'elle avait précédemment fait l'erreur de parler des cailloux aux garçons. Il ne lui vint même pas à l'esprit que ses hématomes, ses égratignures, ses coupures et autres cicatrices n'étaient pas de bon augure aux yeux de ceux qu'elle sollicitait.

Cassie, dont tous les copains étaient justement des garçons, n'avait absolument aucune idée de la façon dont il fallait s'y prendre pour se trouver une copine. Et depuis qu'elle avait rencontré Heather Mackie, il n'y avait plus rien dont elle eut moins envie. Pour ce qu'elle en savait, les filles avaient généralement peur de se salir, et à la vue de la moindre bébête, elles prenaient leurs jambes à leur cou en poussant des cris. Pire, elles jouaient avec des poupées, des trucs en peluche, gloussaient pour tout et n'importe quoi, et faisaient les yeux doux, histoire de se faire embrasser, aux garçons avec lesquels Cassie voulait jouer. Or, sur l'échelle des choses à expérimenter avec son corps, Cassie plaçait le baiser quelque part entre l'éternuement et la nausée.

Et voilà qu'elle se trouvait avec un cookie dans chaque main, assise sur la grosse branche de son arbre, avec l'ordre d'aller faire amie-amie... Les yeux fixés sur la haie trouée, Cassie déplorait la perte de son terrain de jeu personnel. Chaque cellule de son corps se révoltait à l'idée de devoir offrir un cookie à la traîtresse qui lui avait volé ses têtards.

Les cookies eux-mêmes étaient la cause d'un dilemme. Celui qui avait un Smartie de moins que l'autre était pourtant, sans conteste, le plus gros. Cassie raffolait des Smarties, mais elle savait dans quel tiroir ils étaient cachés. Il ressortait donc que le cookie le plus gros restait aussi le meilleur parti. Elle envisagea brièvement de manger le petit et d'inventer un bobard pour s'en tirer sans dommage. Elle risqua un coup d'œil vers la fenêtre de la cuisine, où sa mère lui fit immédiatement signe. Toute velléité de tricherie s'évanouit aussitôt. Cassie poussa un très long soupir. Quand elle baissa de nouveau les yeux vers le trou de la haie, un visage lui apparut, entre les branches cassées.

Kath suivait de la cuisine la première rencontre des deux fillettes.

— Mickey, appela-t-elle par-dessus son épaule, viens voir...

Son époux sortit de son bureau et vint la rejoindre.

— Regarde un peu ça, c'est l'heure de vérité, pour les gosses !

Il passa les bras autour de sa taille, et ils suivirent la scène en silence.

Cassie s'approcha des feuillages ravagés et, tête penchée, se planta devant la mystérieuse Jennifer-May qui toisa la chose crottée et couverte de taches de rousseur debout devant elle. On aurait dit, et pour cause, que cette chose avait rampé sous une haie. Aller puis retour.

Chaque fois que Cassie tentait de capter son regard, Jennifer-May baissait un peu plus la tête, à tel point qu'elle finit par se concentrer sur ses chaussures noires brillantes à trois boucles.

Cassie ne savait que faire. Si cette fille avait été un garçon, elle aurait pu se présenter d'un bon coup de pied dans les mollets ou en lui tendant un bras tout ramolli, mais cette situation était bizarre. Ce ne fut que lorsqu'elle baissa de nouveau les yeux sur les cookies qu'elle tenait que l'inspiration lui vint. Elle en tendit un à l'étrangère et, abasourdie, vit Jennifer-May s'enfuir en courant.

Faut-il être abruti pour refuser un cookie ! songea-t-elle en commençant à en grignoter un machinalement.

S'apercevant qu'elle avait entamé le petit par erreur, elle lança un coup d'œil coupable vers le porche derrière elle, et se hâta de fourrer le gros dans sa poche pour plus tard.

Dans la cuisine, Mickey embrassa sa femme sur la joue.

— Ça te rappelle quelqu'un ?

Esquivant un index trempé d'eau de vaisselle, il retourna à ses affaires.

À une autre fenêtre de cuisine, Mary avait suivi la même scène, dépitée de voir sa fille revenir furtivement, reprendre son livre et filer dans sa chambre.

Au troisième jour, et à la troisième série de cookies que Cassie avait toutes les chances de savourer seule, Jennifer-May marmonna finalement quelque chose d'inaudible à ses chaussures.

— Mmmh ? fit Cassie.

Un chuchotement lui parvint.

— Tu veux venir jouer dans mon jardin ?

Cassie resta abasourdie. Il ne lui était pas venu à l'esprit que l'arrivée des Hollier ne signifiait pas qu'elle n'aurait plus accès à leur jardin. Elle s'avisait à présent qu'en devenant l'amie de cette fillette, elle pourrait en profiter de nouveau ! Certes, elle n'en aurait pas l'usage exclusif, mais un jardin à partager avec une autre fille, c'était toujours mieux que pas de jardin du tout.

— Pourquoi pas, concéda-t-elle.

Mais tandis qu'elle s'apprêtait à escalader la haie, elle s'immobilisa et décida que des entreprises capitales devraient démarrer sur de bonnes bases. Fourrant les cookies dans ses poches, elle retourna une pierre du bout du pied et, ravie, découvrit que la terre dénudée fourmillait de petites bêtes.

— Regarde, dit-elle à sa nouvelle voisine.

Quand, penchée, Jennifer-May laissa les fourmis courir sur ses doigts, elle en fut toute électrisée.

— Ça chatouille ! s'écria-t-elle en souriant nerveusement à Cassie.

Celle-ci fourra les mains dans ses poches et, dans un élan sans précédent (et qui ne serait pas réitéré avant des années), donna le plus gros cookie à Jennifer-May. La petite fille en robe accepta la friandise, et toutes deux mâchonnèrent en silence. Puis, Jennifer-May prit Cassie par surprise en lui adressant un grand sourire.

Du coup, Cassie s'arrêta de mastiquer, ne sachant que faire. Jennifer-May avait un sourire sur lequel les reflets du soleil semblaient plus chauds. Le monde de Cassie venait de trembler sur son axe et, même si elle avait décidé de garder ses distances, elle ne put s'empêcher de sourire à son tour.

De retour dans son propre jardin, Jen se sentit rassurée, et alors qu'elles étaient assises sur l'herbe, elle suggéra à Cassie un jeu qu'elle adorait, mais qui nécessitait deux joueuses. Elle expliqua que les bords de la pelouse étaient les limites du terrain de jeu, que des brindilles servaient à délimiter des carrés, que les coups additionnés dans trois directions devaient toujours valoir neuf, et que le but était de fuir le danger (l'extrémité sombre du jardin, du côté de la resserre) pour se réfugier à l'abri (le porche de derrière). C'était excitant, tenta-t-elle de convaincre Cassie, parce qu'il fallait être bonne en maths et imaginer tout le temps de nouvelles configurations. Cassie caressait les oreilles de Sam.

— Non. Nous jouerons à *mon* jeu. C'est mieux.

Elle se donna beaucoup de peine pour planter le décor pour Jennifer-May, qui n'avait jamais rien entendu de tel, et qui, faute de pouvoir en placer une, décida qu'il serait tout aussi bien de se laisser guider par Cassie.

Au crépuscule, les fillettes finirent par utiliser le porche de derrière de Jennifer-May, qui était devenu un morceau de coque de leur vaisseau pirate, lequel avait été fracassé par un calamar géant surgi à la frange d'un tourbillon. Heureuses, les petites rescapées trouvèrent leur refuge équipé de deux verres de limonade maison. Elles s'assirent en tailleur au centre de leur abri, redoutant l'attaque de quelque tentacule qui les emporterait par le fond à une mort certaine. Jennifer-May tenta alors de décider comment, le lendemain, elles pourraient transformer Sam le Beagle Tueur en monstre à dix pattes surgi des abysses.

En adoration devant Cassie dont il léchait extatiquement les pieds nus, Sam, avec ses oreilles pendantes, semblait bien plus élastique et mou qu'aucun monstre marin qu'un enfant n'ait jamais vu.

Alors qu'elles buvaient leur limonade, Mary sortit les rejoindre.

— Cassandra, dit-elle, tu pourras venir jouer ici autant que tu voudras. C'est formidable que Jennifer-May se soit faite une amie !

Cassie marmonna quelque chose qui pouvait fort bien passer pour un remerciement pour la limonade, puis les fillettes se lancèrent des coups d'œil subreptices par-dessus leurs verres, gardant le silence jusqu'à ce qu'elles soient de nouveau seules.

— Il n'y a que Maman qui m'appelle Jennifer-May.

— Ma maman m'appelle Cassandra quand elle pense que je n'ai pas été sage, avoua sa nouvelle amie.

Elles échangèrent un nouveau sourire, et à partir de là, il ne fut plus question que de Cassie et Jen, à moins que les films qu'on leur avait permis de voir ne leur inspirent de nouveaux jeux, auquel cas leurs parents étaient bien embarrassés de devoir appeler « Dark Cassie » ou « Indiana Jen » à table.

Jen découvrit bientôt que les jeux de Cassie, à l'instar de ses monstres, avaient le pouvoir de muter d'un jour à l'autre.

Pour une fillette dont les amis étaient tous des livres, Cassie était comme une baguette magique en chair et en os, qui faisait surgir des merveilles en trois dimensions à partir de ses contes favoris. À la fin de leur première semaine d'amitié, Jen avait fait l'acquisition d'une salopette, et ses chaussures brillantes avaient été mises au rancart au profit d'une paire de baskets lavables en machine. Bientôt, Mary dut solliciter les conseils de Kath pour apprendre comment faire partir d'un jean en toile des taches d'herbe, d'huile, de boue, et de goudron, sans parler de l'odeur du chien. Toutes deux convinrent qu'il était inutile de s'attarder sur certaines autres taches — même si Kath savait reconnaître de la bouillie de grenouille quand elle en voyait.

CHAPITRE 4

Mon enfance n'a rien eu rien d'exceptionnel. J'allais à l'école, je lisais des livres, je faisais à peu près ce qu'on me disait de faire.

Lorsque mes parents ourdissaient une fois de plus un plan pour m'aider à me faire des amis, j'essayais de leur expliquer que je préférais simplement regarder et écouter. En pure perte. Je flairais la combine à des kilomètres et, au premier signe d'ingérence, je me réfugiais à la bibliothèque. Quels parents peuvent légitimement se plaindre que leur gosse lise trop ?

Pour commencer, je m'y rendais véritablement pour lire, mais à la fin de mon adolescence, je m'affalais plutôt sur un des divans hors d'âge, calais un livre ouvert sur mes cuisses et me contentais de regarder le monde à travers les grandes vitres sales. Déjà à l'époque, j'aimais observer les couples. Toujours des couples. Je m'étais fait une spécialité de détecter les querelles qui couvaient, et rien ne me contrariait plus que de voir les amants brouillés sortir de mon champ de vision avant que mon intuition ait pu se vérifier. À présent, je me suis mis à les filer pour continuer à les épier. Mais en ces temps anciens, j'étais encore trop gauche pour me fondre efficacement dans le décor.

Quand des couples avaient l'air heureux, j'aimais leur inventer de petits scénarios catastrophe. J'imaginais pour eux des lendemains difficiles, dangereux et cruels qui les pousseraient au désespoir, à la maladie, et les précipiteraient dans la tombe. J'interprétais toujours leur épanouissement comme une façade qu'ils s'ingéniaient à afficher face au monde. J'avais horreur qu'on me mente.

J'ai si bien pris le pli d'épier les autres que j'en ai oublié de jouer mon propre rôle. J'avais vu tellement de gens aux comportements tellement idiots, mesquins ou méchants, que prendre part à leur mascarade était au-dessus de mes forces. Il m'était impossible de jouer le jeu. J'en savais trop. Je savais que lorsque mon tour viendrait, quoi qu'il en soit, les choses devraient être différentes.

Pendant dix ans, je suis sorti de la bibliothèque à la façon d'un cinglé fini. Je me tenais tout au bord de la grande marche en pierre, mes orteils effleurant la petite dépression creusée par le passage de milliers de visiteurs, l'oreille tendue. Puis, bien à l'abri sous le rebord de l'édifice, je me tordais le cou pour m'assurer qu'aucun chien ne tombait des fenêtres. C'était à cause de Chien. Ces créatures imbéciles se reproduisent de façon délirante, faute d'avoir mieux à faire pour occuper leur esprit d'abrutis congénitaux. Chien était l'être vivant le plus tristement débile que j'aie jamais vu, je suppose qu'il devait venir d'une très grande famille... Il devait avoir des parents, toute une portée de frangins, ainsi que des tas de rejetons aussi tarés que lui, qu'il avait eu le temps d'engendrer avant que sa courte vie imbécile ne prenne fin sous mes yeux. Je me disais que si tous ses congénères étaient aussi demeurés que Chien, ils auraient pu choisir de vivre dans une bibliothèque, bien trop stupides pour savoir que les livres n'étaient pas comestibles. Si bien qu'un jour, à demi morts de faim et complètement déments, ils finiraient par se jeter sur un des pigeons posés sur les gouttières, et je pourrais recevoir un des parents dégénérés de Chien sur le coin de la gueule.

Je ne me méfiais pas des autres bâtiments. En fait, j'avais réussi à me convaincre que je risquais vraiment de me prendre un chien qui se serait défenestré des étages de la bibliothèque. Mais ça ne fait pas de moi un cinglé pour autant. J'ai rencontré des gens persuadés de trucs bien plus dingues que ça. Par exemple, des filles qui croient à au Grand Amour.

À la fin de mon adolescence, je m'étais habitué à voir des gens de mon âge s'éprendre et se déprendre les uns des autres. Ils appelaient ça de l'amour. Ce n'en était pas. Comment peut-on parler d'amour quand on vous abandonne au premier signe de lassitude, à la première contrariété, ou bien dès qu'une offre plus alléchante se présente ? Est-ce là un comportement acceptable ? Quelqu'un qui vous aime restera toujours à vos côtés. J'avais lu assez de livres pour savoir que c'était vrai. Quelqu'un qui vous aime sera là, près de vous, chaque minute de chaque jour.

J'avais compris qu'il était facile de décider quel genre de personne on veut être. Si vous dites à quelqu'un qui vous êtes, il faut se montrer extrêmement convaincant, il faut que la personne vous croie à 100%. Si vous parvenez à cela, tout ce que vous direz et ferez sera jugé en fonction de votre contexte personnel. Il n'y aura rien, alors, que vous ne puissiez vous permettre. Par exemple, si vous racontez à quelqu'un que votre père vous battait dans votre enfance, cette personne se montrera beaucoup plus gentille envers vous. De sorte que si vous vous comportez mal avec elle, elle mettra d'autant plus de temps à réagir et à résister.

Et d'ailleurs, lorsqu'elle le fera, ce sera avec la conscience coupable — suffisamment coupable pour deux. Suffisamment pour que vous n'ayez pas à vous en soucier.

Mais à quoi bon se réinventer soi-même si vous n'avez personne en face à convaincre ? Pour que tout cela ait une quelconque valeur, l'être élu doit voir tout ce que vous faites, entendre tout ce que vous dites, ressentir tout ce que vous ressentez. Les gens vous diront qu'ils s'intéressent à vous, qu'ils se soucient de vous. Mais au fond, sont-ils réellement là pour vous ? Vous prêtent-ils suffisamment attention ? Sont-ils disposés à mettre leur propre vie entre parenthèses afin de se consacrer entièrement à vous ? Je n'en exigeais pas moins, voyez-vous. Je ne pouvais supporter qu'on puisse s'imaginer que j'étais comme tous les autres. Quand je m'en mêlerais, ce serait spécial. Différent. Meilleur.

C'est pourquoi je ne tenais pas à perdre mon temps avec n'importe quelle femme. Je tenais à ce que ce soit parfait, dès le début. Ma femme idéale se trouvait là, quelque part, et j'étais prêt à l'attendre le temps qu'il faudrait. Je savais qu'elle me trouverait, et qu'alors, elle resterait à mes côtés. Elle serait mon bouclier contre la souffrance et le chagrin et les dangers de la vie. Je me donnerais entièrement à elle, et elle me protégerait des cruautés du monde. Les gens, en nous voyant, comprendraient que notre bonheur à nous n'est pas une simple façade. Ils envieraient non seulement ce que nous aurions, mais ce que nous serions et ce que nous ferions l'un pour l'autre. Voilà comment cela fonctionnerait, je le savais, j'en étais sûr.

Alors je retournai à mes observations, mais ce n'étaient plus les couples qui m'intéressaient : seulement les femmes. J'attendais de ressentir quelque chose de bien, un signe qui m'indiquerait que j'avais tiré le bon numéro. Pourtant, en dépit de tous mes efforts, je ne ressentais rien. C'était comme si un grand vide m'habitait.

Ce que je voulais, c'était qu'elles fassent preuve de profondeur et de caractère, mais toutes celles que j'observais ne semblaient être capables que de se pavaner comme des oiseaux exotiques. Elles poussaient des piaillements stridents, faisaient montre de leur plumage, voletaient en tous sens afin qu'on les remarque, se rengorgeant de l'admiration suscitée par leurs attributs les moins pertinents. Elles feignaient d'avoir des avis et des sentiments, mais de toute évidence, la seule chose qui les intéressait, c'était d'être des objets d'adoration. À quoi cela sert-il d'être admirée par le rebut de l'humanité ? Je finis par ne plus ressentir que du mépris.

La plupart du temps, je les regardais sur les pistes de danse en train de parader devant le premier venu, jetant leur dévolu au hasard, avec un tel manque de discernement que c'en devenait insultant. Et pour quoi ? La picole à l'œil, et quelques instants d'attention. Souvent, sans raison particulière, elles changeaient d'avis et pour les raisons les plus futiles, lâchaient le premier type pour se jeter dans les bras de reproducteurs de troisième zone, des braillards suffisants au petit sourire affecté comme s'ils toisaient le monde du haut de quelque piédestal moral leur conférant privilèges et immunité.

Quelles sales putes.

Distant, et de plus en plus gagné par le mépris, je les observais. Je les trouvais répugnantes. Avec le temps, mon dédain se transforma en haine. Je me tenais dans l'ombre, continuais à les observer et à me jouer des scènes où je tenais le rôle du Rédempteur. Je m'imaginais en train de danser, de sourire, de bavarder. Je me ferais plaisir. Je me fendrais de petits compliments séducteurs. La mécanique de ces rêveries n'importait jamais vraiment, l'essentiel étant qu'elles se terminent toutes lorsque j'offrirais à l'une de ces salopes un cocktail au verre pilé, arrosé d'un soupçon de produit chimique industriel. Au bout du compte, j'aurais le pouvoir de les rendre à la fois silencieuses et stériles. Ça avait tout du crime parfait. Parfois, je regrette infiniment que la vie ne soit pas ce qu'elle aurait été si seulement je l'avais fait. Pourquoi m'être abstenu ? Ç'aurait été une délivrance. Un acte de purification.

Les boîtes de nuit avaient beau n'être que des bouges dégueulasses grouillant de monde, je n'arrivais pas à y renoncer. J'adorais passer un temps fou dans l'obscurité, seul, à regarder les autres. Mon sentiment de soulagement ne cessait de croître. C'était un véritable confort, que de se sentir aussi à part.

Une nuit que je flânais dans un quartier qui ne m'était pas familier, j'aperçus trois agents de sécurité qui s'offraient une pause cigarette à l'entrée d'une ruelle. À mon approche, ils s'écartèrent et, sans la moindre hésitation, je descendis l'escalier accroché à une rambarde en bois branlante qui vibrait doucement sous l'effet de la pulsation assourdie provenant du sous-sol.

Après la pénombre moite et froide de l'escalier, mes yeux furent éblouis par les tubes néon crasseux du bar. J'endurai le regard des clients proches de l'entrée, qui me dévisagèrent, puis je passai mon chemin en prenant soin de ne toucher ni d'être touché par personne.

L'étroit couloir débouchait sur une salle qui avait l'air immense. La brume presque suffocante des fumigènes baignait dans l'éclat ambré qui tombait des projecteurs alignés au plafond. Mes yeux s'accoutumaient lentement à l'obscurité qui régnait ici.

Au fond de la salle, je vis des gens danser, les contours de leurs silhouettes brouillés par la fumée. Leur forme semblait avoir été découpée dans la texture même du monde, y laissant un trou par lequel j'apercevais les ténèbres du néant.

Les regarder me donna soif.

Cette fois, mon arrivée au bar ne me valut pas le moindre coup d'œil. Alors qu'au moins trois rangées de clients attendaient d'être servis, je me tins près du centre et patientai. Baissant les yeux, j'aperçus devant moi une main qui malaxait un cul de femme. J'observai le propriétaire de cette main, le petit ami de la nana. Ils étaient habillés pareil. Ils portaient des t-shirt noirs moulants, une jupe noire balayant le sol pour elle, et pour lui, un jean sombre trop serré, à en juger par la bedaine qui tendait sa ceinture. Chaque fois qu'il l'embrassait, elle se plaquait contre lui sur la pointe des pieds, le dos arqué sous la légère pression qu'il exerçait d'une main tout en l'attirant à lui. Ils étaient si proches de moi que je percevais tous les petits bruits mouillés de leurs baisers.

Il gardait les yeux grands ouverts quand il l'embrassait, comme s'il lui fallait constamment se rappeler qui elle était. Elle, chaque fois qu'elle reprenait son souffle, faisait voleter ses longs cheveux noirs d'une chiquenaude affectée, geste théâtral tout droit sorti des publicités pour shampooing les plus nases. Du coup, elle me fouettait constamment le visage de sa chevelure, et à chaque fois, ma haine pour elle ne faisait que croître, parce qu'elle savait parfaitement que j'étais là, et se gardait soigneusement de faire preuve de la plus petite considération pour moi. Salope.

Chacun de ses gestes était calculé pour son public. Parfois, elle faisait saillir avec exagération la hanche sur laquelle elle se tenait, balayant le bar du regard. Deux fois de suite, sans raison, elle secoua sa chevelure pour lui donner de l'air, me fouettant le visage au passage.

Quand son petit ami se tourna brièvement vers l'entrée, je pus voir son visage, et je sus que, si elle avait peut-être vingt-deux ans, lui devait en avoir au moins dix de plus. Je fus intrigué par la cicatrice d'une dizaine de centimètres qui lui barrait la joue. Arrivait-il que sa petite pute en mal d'attention y dépose un baiser ? Je me la représentais en train de suivre de la pointe rose de sa langue le sillon prononcé de la cicatrice, qui prenait naissance près de sa bouche et venait mourir juste sous son œil gauche.

Et à cet instant, je me sentis sincèrement désolé pour lui. Aux yeux de la fille, c'était un objet de curiosité, un amant choisi pour mieux déconcerter les amis, les parents et ses futures conquêtes. Quand l'âge commencerait à se lire sur le visage du type, la gravité déformerait sa cicatrice, et ce qui passait maintenant pour du tempérament se muerait en tare intolérable.

Rien qu'à son regard, je sus qu'il savait. Je pouvais presque le voir graver dans sa mémoire chaque instant passé avec cette créature superficielle et égoïste, afin de se prouver dans les années à venir qu'il y eut une époque où il avait mérité la beauté.

Elle aussi le savait, et la gratitude qu'il lui témoignait, les égards dont il l'entourait, sa dévotion servile, c'était visiblement ce qui la motivait. Je voulus la voir morte.

Ils se tournèrent pour partir, et elle me détailla ostensiblement. Après que nos regards se soient croisés durant une fraction de seconde, elle passa près de moi en me frôlant doucement, alors qu'elle avait toute la place qu'elle voulait. Je détournai les yeux.

Il me fallut encore dix minutes pour être servi, mais une fois que j'eus ma bière, je traversai en hâte la piste de danse, impatient de redevenir invisible.

Je me sentis disparaître, happé par l'obscurité brumeuse. Les battements de mon cœur ralentirent à mesure que le dégoût retombait. Sirotant mon verre, je regardais les gens un à un, jamais davantage qu'une poignée de secondes, toujours en quête de quelque chose, toujours en train de réfléchir.

Je crus voir une fille appuyée contre le mur, puis je réalisai que ce que j'avais pris pour le passage sur elle d'un faisceau de projecteur était en fait une main dont les doigts caressaient gentiment sa joue. Elle n'était pas appuyée contre le mur, mais contre quelqu'un. Un flirt ? Un étranger ? Improbable. Seul un petit ami pouvait avoir des gestes aussi tendres. Aux anges, la fille ferma lentement les yeux. Tout en ressentant une pointe de malaise, comme celui qui se mêle de ce qui ne le regarde pas, je me pris à regretter que cette main ne soit pas la mienne. Je me figurais la douceur et la fraîcheur de sa peau, je m'imaginais le réconfort de sentir tout contre soi le corps tiède de l'être aimé, qui vous cache, qui vous protège.

Un instant plus tard, ils se séparèrent, visiblement sur le point de partir. C'est alors que je le vis se coller contre elle et lui caresser doucement le menton avant de poser un tendre baiser sur ses lèvres. Ils avaient tous les deux fermé les yeux.

Je me jurai à cet instant que lorsque j'aurais enfin trouvé ma femme idéale, je lui caresserais la joue et le menton de la même manière lorsque je l'embrasserai. Quiconque assisterait alors à la scène pourrait voir combien mon affection la transfigurerait, la rendant délicate, belle et précieuse.

Je les précédai dans la rue même si, baissant la tête, je détournai le regard quand ils passèrent devant moi.

Je les suivis sur une huitaine de pâtés de maison. Bras dessus, bras dessous, elle posait parfois la tête sur son épaule, et il lui embrassait les cheveux tout en l'attirant plus près de lui.

Un jour prochain, ce serait mon tour. Les laissant s'éloigner, je rebroussai chemin et rentrai chez moi réfléchir.

À de rares exceptions près, les boîtes de nuit étaient peuplées de traînées et d'hommes de Neandertal, et cette pensée me réchauffa le cœur. Elle me faisait me sentir supérieur. Elle me rassurait et me renforçait dans ma conviction qu'il fallait aspirer à un plus haut destin. Elle me confirmait une fois de plus ce que j'avais soupçonné dès le départ : tous ces gens étaient ineptes et insignifiants, ni eux ni leurs existences ne valaient quoi que ce soit. Ce n'est pas tant que personne n'irait les regretter, mais plutôt qu'on rendrait un grand service à l'humanité en les éliminant du patrimoine héréditaire de l'espèce. Cette perspective me ravissait à tel point que la musique elle-même ne pouvait m'en gâcher l'ivresse.

CHAPITRE 5

Même si elles ne se retrouvèrent jamais dans la même classe jusqu'à la fin de l'école primaire, les filles devinrent pour ainsi dire inséparables. Presque chaque jour à la récré, Cassie allait retrouver Jen, se glissant généralement derrière elle pour lui claquer son livre au nez. Et elle tournait toujours le dos aux remontrances de sa meilleure amie, l'entraînant dans le sillage de ses frasques. À l'heure du déjeuner, c'était différent. Les garçons de sa classe se regroupaient pratiquement tous autour de Cassie – autour d'une table où, invariablement, le chaos régnait dans un brouhaha assourdissant. Assise au bout à contrecœur, Jen hochait la tête quand Cassie avait besoin qu'elle le fasse. Et elle se demandait pourquoi son amie traînait avec ces garçons stupides qui se vantaient toujours de courir plus loin ou plus vite que les autres, d'aller se coucher à des heures indues et de faire les quatre cents coups sans jamais être pris... Jen savait qu'ils mentaient. Cassie, elle, ne le remarquait pas, ou s'en moquait.

Quels que soient les évènements, à la fin de chaque après-midi, Cassie attendait Jen aux portes de l'établissement afin qu'elles rentrent ensemble à la maison. Jen finissait rapidement ses devoirs puis aidait Cassie à faire les siens. Ensuite, toutes deux avaient la soirée pour elles. Plus Jen lisait, plus elle lançait des idées de jeu à son amie. Et toujours, Cassie reprenait à son compte les meilleures suggestions, les améliorant, en faisant quelque chose de fou, de grandiose et d'excitant – bref, de bien plus fantasque que ce que Jen aurait pu imaginer au départ.

À leurs débuts au collège, elles ne se quittèrent pas d'une semelle – du moins chaque fois que Jen ne se trouvait pas à la bibliothèque ou Cassie en retenue. Elles faisaient souvent les courses de concert, se querellaient rarement et passaient leurs vacances également ensemble. Il ne leur était même jamais venu à l'esprit que leurs parents respectifs puissent ne pas s'entendre.

Coucher chez des amis, camper, se balader, ou encore participer aux sorties scolaires… elles n'allaient nulle part l'une sans l'autre. Kath et Mary s'accoutumèrent à laver des vêtements qu'elles ne reconnaissaient pas, et à traiter les deux amies comme leurs propres filles.

Si l'une était surprise en train d'accomplir un truc ridicule ou dangereux – genre allumer un feu, sniffer de la peinture, fourrer du fromage dans les oreilles du chien… –, l'autre déclarait invariablement : « *Je lui avais bien dit de ne pas faire ça…* » Quand l'une tombait malade, le docteur Brooks rédigeait systématiquement une prescription pour les deux. C'était un arrangement conclu de mauvaise grâce après une longue année de résistance futile où l'une faisait invariablement l'école buissonnière pour courir se cacher avec l'autre – et choper ses microbes du même coup. Ensuite, son amie restait près de la malade au nom d'une solidarité mal placée. Le mois placé sous le signe de la varicelle avait été particulièrement pénible.

Cet après-midi glacial de décembre, lors de leur dernière année de lycée, les filles se demandaient comment s'arranger pour aller voir un film tout en se réservant suffisamment de temps pour s'offrir une glace avant le couvre-feu. Elles entrèrent chez Cassie comme des fusées, et foncèrent vers sa chambre pour se changer. Cassie abreuvait Jen de projets toujours plus fous pour fêter dignement leurs dix-huit ans qui arrivaient à grands pas.

Elles trouvèrent Kath agenouillée dans la cuisine, devant le corps du père de Cassie.

— Maman ?

N'obtenant pas de réponse, Cassie repoussa d'un mouvement brusque la main que Jen avait posée sur son bras, et vint s'agenouiller à côté de sa mère.

Kath se tourna vers elle.

— Ton père est mort. Fais quelque chose !

Mickey leva alors les yeux vers Cassie, et s'efforça de sourire. Il lui prit la main.

— Tout va bien…

Puis ses yeux roulèrent dans leurs orbites, et sa main devint toute molle.

Kath se mit à répéter son nom, « Mickey !... Mickey !... », sans s'arrêter, puis les larmes vinrent. Mais elle ne pleurait pas comme on pleure lorsqu'on s'apitoie sur son propre sort. Cassie n'avait jamais vu ses parents perdre leur contrôle, et encore moins pousser des cris déchirants comme sa mère le faisait à présent. Longtemps, la plainte douloureuse de Kath résonnerait à ses oreilles. Longtemps, elle en ferait des cauchemars et en perdrait le sommeil. Se ressaisissant la première, Jen courut à la porte et appela sa mère à grands cris.

Comme dans tous les voisinages, où les nouvelles semblent circuler sans que personne n'en parle, un attroupement de curieux à la mine préoccupée s'était déjà formé dans le crépuscule, devant la maison. Les ambulanciers firent sortir un Mickey ressuscité, assis dans une chaise roulante. Mary grimpa dans l'ambulance, et aida une Kath hébétée à s'asseoir près d'elle. Cassie voulut les imiter, mais un auxiliaire médical fermait déjà les portes. Kath sembla se souvenir brusquement de la présence de Cassie, et lui ordonna :

— Non, reste là et garde la maison.

Les portières claquèrent et, dans un hurlement de sirènes, le père de Cassie fut emmené loin d'elle.

Son amie tenta de la réconforter, mais Cassie la repoussa. Elle ne voulait pas que qui que ce soit la touche. En larmes, le souffle rauque, elle se tourna vers l'attroupement, puis courut se réfugier dans sa maison, et claqua la porte. Elle se jeta sur le sol encore tiède de la cuisine où elle resta des heures à crier jusqu'à en perdre la voix.

Suffocant, sanglotant, persuadée qu'elle ne le reverrait jamais, elle demeura étendue là où son père avait eu son attaque, jusqu'à ce que le sol soit devenu glacial. Alors, elle ouvrit l'armoire à alcools et rapporta dans la cuisine une bouteille de Scotch presque pleine.

John, le père de Jen, la ramena à la maison avec fermeté. Il lui assura que tout irait bien pour Cassie, et lui promit qu'il irait bientôt la voir pour s'en assurer. Jen alluma le poste de télévision et s'écroula sur le divan, calée contre son père, le regard rivé à la fenêtre de cuisine, au-delà du scintillement de l'écran. John passa un bras autour de sa fille, qui, passant les jambes par-dessus celles de son père, se pelotonna contre son épaule. Ils s'étaient endormis dans cette position lorsque, quatre heures plus tard, Mary téléphona.

Peu avant minuit, Mary se gara dans l'allée, traversa les deux pelouses et pénétra dans la maison de Kath, avec le sentiment d'être une intruse. Le silence était aussi trompeur que lorsqu'on se réveille à 4 heures du matin en croyant avoir entendu quelqu'un : ce que l'on n'entend pas est encore plus effrayant que les bruits que l'on guette. Dans le hall, au clair de lune, Mary laissa sa vision s'ajuster à la pénombre, se reprochant de se laisser effrayer par le silence.

Entrant dans la cuisine, elle pressa l'interrupteur et réprima un cri en apercevant Cassie recroquevillée dans un coin, les bras couverts de sang séché. Le sol était jonché de débris de vaisselle.

Cassie avait le visage, les bras et les jambes marbrés de traînées sombres et de zébrures blêmes. Ses vêtements déchirés étaient souillés là où elle avait vomi. La bouteille vide gisait près d'une de ses mains et, si ses doigts n'avaient pas été agités de petits spasmes, Mary aurait pu la croire morte.

Mary Hollier ouvrit une fenêtre pour chasser l'odeur acre de vomi qui lui donnait des haut-le-cœur, prit une petite brosse dans un placard, sous l'escalier, et balaya le plus gros des débris à l'autre bout de la pièce. Les mains tremblantes, elle remplit un bol d'eau chaude, s'assit par terre à côté de

Cassie avec un torchon à vaisselle propre puis entreprit de laver doucement le sang et chercha les éventuels éclats qui auraient pu se ficher dans la peau, tâchant d'évaluer le plus délicatement possible l'étendue des dégâts.

Les paupières de la jeune fille frémirent.

— Cassie, mon ange, c'est la maman de Jen, Mary. Tu t'es salement coupée. J'essaie juste de nettoyer tout ça, d'accord ?

Cassie la fixa de ses yeux rouges aux paupières gonflées, et un filet de bave s'écoula de ses lèvres affaissées.

— Cassie, j'ai besoin que tu me dises si tu as pris autre chose que du Scotch. Peux-tu faire ça, chérie ? Je t'en prie, c'est important. As-tu avalé des cachets ?

Secouant légèrement la tête, la jeune fille fondit en larmes.

— Où est mon père ?

Mary interrompit ce qu'elle faisait, baissant les yeux sur ses mains. Pendant tout le trajet, depuis qu'elle avait laissé Kath avec sa mère à l'autre bout de la ville, elle avait cherché la bonne façon de dire les choses. Mais rien ne lui avait paru adéquat.

Sa voix montant dans les aigus, Cassie tenta de bouger.

— Je veux mon père !

— Cassie, je suis désolée…

Comme sous le coup d'une électrocution, la jeune fille fut prise de convulsions, son pied frappa Mary à l'abdomen, lui coupant le souffle. Alors que la mère de Jen luttait pour dégager de l'espace autour de Cassie, celle-ci paraissait incapable d'arrêter de se tordre dans tous les sens, jusqu'à ce que, tendant le cou et se retournant sur elle-même, elle se remette à vomir. Pendant près de vingt minutes, la détresse la fit hoqueter, s'étouffer, chercher sa respiration entre deux accès de vomissements et de sifflements asthmatiques.

Finalement, Mary réussit à lui faire prendre du Valium déniché dans l'armoire de la salle de bains et, profitant de l'accalmie, soigna ses plus méchantes entailles. Elle la lava, l'enveloppa d'un drap de bain puis la porta jusqu'au divan. Dans la pénombre de la pièce, elle la tint serrée contre elle, espérant que la chaleur et les battements de cœur d'un autre être humain lui procureraient un peu de paix.

Lorsque l'aube pointa à l'horizon, Mary tenait toujours Cassie contre son épaule, lui caressant doucement les cheveux.

— Oh, Cassie, chuchota-t-elle face à ses bras couverts de pansements, pourquoi ?

Dans l'obscurité, elle entendit une voix pâteuse, perdue et brisée, murmurer :

— Il fallait que la souffrance sorte de moi...

Ce n'était pas la première fois cette nuit-là que Mary pleurait. Elle regretta infiniment qu'il n'y ait rien qui vaille la peine d'être dit.

Tôt dans la matinée, elle coucha Cassie à demi consciente sans son lit. Bientôt, Jen vint se joindre à elles. Tourmentée, elle se sentait inutile, assise là dans la chambre de Cassie. Après un petit moment, ne sachant que faire d'autre, elle ôta ses chaussures et se glissa sous les couvertures pour se blottir contre sa meilleure amie, la serrant contre son cœur.

Laissant les deux filles seules, Mary retourna chez elle et, sans rien dire, se laissa tomber dans les bras de John. Tout ce qu'elle avait tourné et retourné dans sa tête durant la nuit refusait de se traduire en paroles cohérentes. Chaque matin, quand elle embrassait son mari, elle ne doutait pas qu'il serait de retour à la maison le soir venu. Elle savait où il se trouvait, ce qu'il faisait, se représentait son train, son bureau, ses collègues… L'idée qu'un jour, il puisse ne plus revenir se révélait insupportable.

Plus tard dans la journée, ils fouillèrent le grenier, dont ils exhumèrent un service de table reçu pour leur mariage. Mary alla le ranger dans les placards de Kath. Elle vérifia au passage que les filles dormaient toujours, puis John et elle s'assirent pour étudier l'état de leurs finances et voir ce qu'ils avaient de disponible, histoire de donner un coup de main. Sans qu'on le lui demande, John appela son patron et, après avoir expliqué la situation, fut autorisé à prendre une semaine de congés. Le restant de la journée, Mary et lui furent inséparables — et il en fut ainsi toute la semaine. Elle avait besoin de le voir constamment, de le toucher sans cesse, et John était trop heureux qu'elle se cramponne ainsi à lui.

Kath revint à la maison et, des mois durant, Cassie et elle parurent vivre au ralenti, pétrifiées par le deuil, à peine capables de différencier le jour de la nuit. Leur petit coin d'univers semblait s'enliser. La plupart du temps, c'était à peine si Cassie parlait, mangeait ou dormait.

Quand l'été vint réchauffer la terre et les corps, le mouvement revint progressivement chez les McCullen. Cassie et sa mère se mirent à redécorer frénétiquement la maison, puis un jour, Kath se présenta sur le seuil de Mary munie d'une grande boîte emballée dans du papier cadeau, qui contenait un service en porcelaine.

Autour d'une tasse de café, Mary donna une version sévèrement expurgée de ce qui s'était produit la nuit où Mickey avait eu son attaque, s'efforçant sans être bien convaincante de présenter les choses comme si les dégâts causés par Cassie avaient été purement accidentels. Kath se contenta de hocher la tête, puis elle prit congé et rentra chez elle.

Quand Kath avait trouvé Mickey inconscient, tout ce qu'elle aurait voulu, c'est que sa propre mère prenne les choses en mains, lui dise quoi faire et la rassure en affirmant que tout se passerait bien. Au lieu de quoi, elle avait senti un grand froid l'envahir et lui engourdir l'esprit. Mickey était par terre. Mais Mickey dansait. Mickey courait. Il cuisinait, grimpait, fabriquait des jouets pour Cassie… Pourquoi était-il par terre ? Elle ignorait combien de temps elle était restée assise près de lui, mais se souvenait du soulagement qu'elle avait ressenti en voyant arriver Cassie, car maintenant, quelqu'un d'autre allait prendre les choses en main... Quelqu'un qui saurait exactement ce qu'il convenait de faire, et tout serait sous contrôle.

De toutes ses forces, elle tentait de croire qu'elle avait fait ce qu'elle pensait être juste, mais elle savait qu'au fond, elle n'avait pas vraiment réfléchi. Plus que tout, elle désirait expliquer à Cassie pourquoi elle n'avait pas voulu la laisser venir à l'hôpital. Elle se souvenait d'être montée dans l'ambulance et d'avoir pensé, avec une soudaine limpidité, que Mickey était à elle, et à elle seule. Ils avaient échangé des promesses d'amour éternel bien avant que Cassie ne vienne au monde, et ils s'étaient appartenus l'un à l'autre, mais cela avait été si court… Une partie d'elle-même s'était brisée en voyant, impuissante, leur petite fille voler un cœur qu'elle avait pourtant cru être sa propriété exclusive.

La culpabilité qu'elle ressentait pour avoir laissé Cassie sur la touche n'était pas une chose dont elle pourrait s'excuser. Pas plus qu'elle ne pourrait jamais expliquer à sa fille pourquoi, en un centième de seconde, elle avait su qu'elle pourrait vivre en l'éloignant de son père et en lui refusant l'occasion de lui faire ses adieux.

Le pire, c'était que Mickey, l'espace de quelques minutes, avait miraculeusement repris connaissance et, même s'il avait pris la main de sa femme, les quelques mots qu'il avait réussi à prononcer n'avaient été que pour demander où se trouvait sa fille. Kath n'avait su quoi dire. Lui caressant les doigts, elle avait simplement répondu que Cassie allait bien, mais elle n'avait rien pu dire d'autre, car à cet instant précis, Mickey expirait.

Plus tard cette nuit-là, Kath se faufila dans la chambre de Cassie, rabattit le duvet et s'agenouilla au bord du lit, serrant le coin de l'édredon entre ses dents pour tenter d'étouffer le cri qui voulait s'échapper d'elle. La lumière filtrant du hall lui révéla des cicatrices et des ombres profondes, un peu partout sur les membres de sa fille, et elle en fut horrifiée.

En douceur, elle remit le duvet en place et partit se coucher, les bras frileusement serrés autour d'elle, pleurant silencieusement dans le noir. Elle aurait tant voulu demander à Cassie de lui montrer ses blessures, tout simplement. Mais les moments passés ensemble dégénéraient trop souvent en disputes et en reproches, et cela, Kath le redoutait plus que tout.

Lors de leur dernière dispute, elles s'étaient retrouvées à hurler l'une sur l'autre, à la limite de l'incohérence. C'était parti d'une broutille, puis ça avait été attisé par leur incapacité à toutes les deux à maintenir un semblant de normalité dans le quotidien, et par l'extraordinaire aptitude de Cassie à faire sortir sa mère de ses gonds. Mais cette fois-ci, les choses s'étaient encore plus envenimées que d'habitude, et la jeune fille avait fini par quitter la pièce comme une furie. S'arrêtant sur le seuil, elle s'était retournée vers sa mère et, le regard venimeux, avait sifflé méchamment :

— J'aurais préféré que ce soit toi qui meures !

Il fallut dix ans à Cassie pour se résoudre à présenter ses excuses.

Traumatisée par la perte de son père, Cassie aurait semblé moins farouche si elle s'était promenée en armure à pointes en balançant de l'huile bouillante sur quiconque aurait voulu l'approcher. Jen était la seule personne qu'elle supportât encore près d'elle, même si ce n'était que pour l'ignorer. Jen ne s'en offusquait pas. Elle se sentait utile et importante dans ce rôle d'intermédiaire entre Cassie et le reste du monde, et se contentait parfaitement de lire des revues, de somnoler ou de regarder la télévision en sourdine pendant que Cassie dormait. Ensuite, elle s'asseyait et peignait les cheveux de son amie qui restait sans bouger, le regard perdu dans le vague, parfois pendant des heures, à la limite de la catatonie.

À l'automne, Jen entama comme prévu ses études de biologie environnementale. Cassie, elle, s'était vue accorder une dispense spéciale par l'université de Ryerson, qui lui permettait d'attendre le second semestre pour commencer ses cours de photographie. Son pouvoir de concentration était diminué au point qu'on pouvait parler de véritable trouble de l'attention. Et après s'être montrée si brillante au lycée, elle paraissait maintenant résolue à se complaire dans un état d'apathie et de désintérêt affectant à peu près tous les aspects de sa vie, depuis son appétit jusqu'à l'assistance socio-psychologique qui lui était fournie.

Désemparée par le deuil, Cassie prit consciemment la décision de se réfugier dans un repli sombre de son esprit, là où plus rien ne pourrait la prendre par surprise, là où elle verrait venir le danger de loin, et où il ne risquerait plus de l'atteindre.

Respirer devint quelque chose de difficile pour elle, probablement parce qu'elle ne voyait plus de raisons de continuer à le faire.

Incapable de trouver le sommeil s'il ne faisait pas jour dehors, elle passa d'abord ses nuits recroquevillée dans un coin de sa chambre, effrayée par les ombres, sursautant au plus petit bruit et pleurant après son père. Lui qui avait été son bouclier, sa protection, n'était plus. Elle n'avait jamais eu à s'inquiéter de ce qui pourrait la blesser car il s'était toujours interposé. À présent, elle restait exposée aux attaques, vulnérable, tel l'appât se tortillant au fond d'un piège. L'unique recours était de se murer dans le silence et l'immobilité, de devenir invisible.

Elle avait l'impression d'être une poupée russe, la plus petite, à l'intérieur, comme si les autres avaient été brisées, écartées une à une, jusqu'à ce qu'il ne reste que la dernière, minuscule, qui se cachait dans la plus grande. Sans protection, à découvert, elle se sentait comme écrasée par elle-même, insignifiante. La plus petite des poupées aurait dû être la plus solide, celle qui ne pouvait pas se briser. Celle qui croyait aux étés éternels, à l'amour véritable et au bonheur parfait. Or, Cassie ne parvenait plus à croire à tout ça.

Dans cet état de repli sur soi, elle voyait cette personne qui ressemblait à Cassie, elle la regardait manger, dormir, boire, pleurer, rêver et marcher, mais elle avait oublié comment exercer sa volonté sur tout cela. Elle se faisait l'impression d'être réduite au noyau d'elle-même, à cette minuscule créature impuissante s'agitant follement à l'intérieur de quelque épouvantable marionnette, une grotesque parodie d'elle-même, une créature démoniaque et maniaque qui l'avait prise au piège.

Devenue l'unique source de revenus du foyer, Kath n'eut d'autre choix que de déménager. Elle savait gré à sa thérapeute, Gillian, d'avoir su préserver sa raison et l'aider, après dix-huit mois, à trouver assez de temps et d'enthousiasme pour faire ce que Kath faisait, et non plus ce que Kath faisait *sans* Mickey. Mais sa fille, ça, c'était une autre paire de manches. L'adolescente naguère dynamique, énergique, vive et prête à défier le monde entier n'était plus que l'ombre d'elle-même, neurasthénique et introvertie. C'était comme si Cassie refusait de revenir dans un monde où de telles douleurs pouvaient vous être brutalement infligées.

Elle ressentait un besoin immense de grandir, et de combler le vide en elle. Mais ce désir se heurtait à sa terreur de voir le monde extérieur se rapprocher.

Un jour, elle se réveilla tout excitée par la perspective d'intégrer prochainement l'université. Comme elle se levait, elle réalisa qu'elle venait de passer au moins cinq minutes sans penser à son père. Foudroyée par la culpabilité, elle s'effondra par terre, prise de sanglots incontrôlables, recroquevillée sur elle-même, ses ongles meurtrissant la peau tendre de ses bras, y imprimant des zébrures écarlates. À travers ses pleurs, elle lui demanda pardon encore et encore, et supplia son père de ne pas lui en vouloir de l'avoir ainsi oublié.

Elle lui fit alors le serment qu'elle penserait à lui en tout premier chaque matin, et en tout dernier chaque soir. Cela lui semblait une bonne façon d'encadrer les intervalles de temps où elle serait forcée de revenir au monde. Le fait de tenir parole lui permit de commencer tout doucement à réfléchir à d'autres choses durant les longues heures qui séparaient le matin du soir. Néanmoins, les seuls livres qu'elle se sentait capable de lire étaient ceux qu'elle avait déjà lus, car elle savait par avance comment l'histoire se terminait.

Ce qui la terrifiait plus que tout, c'était que quelqu'un qu'on aime d'un amour aussi entier puisse vous quitter ainsi, en emportant avec lui une partie de vous-même que vous ne pourriez jamais récupérer. Ça ne vous laissait d'autre choix que de vivre votre vie entière irrémédiablement diminuée. Cassie savait désormais avec certitude que différentes personnes l'abandonneraient au cours de son existence, et que chaque départ la laisserait un peu plus minée.

Dans ces conditions, se dit la jeune fille, mieux valait garder une réserve, une part de soi inaccessible à tous et si profondément enfouie que personne n'en soupçonnerait l'existence. Une part de soi dont on ne pourrait jamais être privé. Une sorte de bouchon qui empêcherait qu'on disparaisse complètement. Cassie voulait ériger autour d'elle-même un mur assez solide pour que, aussi dévastateurs que soient les événements, aussi hostiles que soient les gens, elle garde toujours intacte une partie d'elle-même qui lui permettrait de repartir à zéro.

Elle n'en voulait pas à son père de l'avoir quittée, mais elle savait que dans une boîte enfouie sous terre, froide, morte et en décomposition, se trouvait une part d'elle-même.

Un mois après leur horrible dispute, Kath et Cassie se retrouvèrent un matin autour du petit déjeuner à parler calmement de l'université. Toutes deux marchaient sur des œufs, soucieuses d'éviter le déclencheur invisible qui ferait voler en éclats leur paix fragile.

— Je songe à m'inscrire à des cours du soir pour essayer de décrocher une maîtrise, annonça Kath en beurrant consciencieusement un bout de pain grillé. Tu penses que c'est une bonne idée ?

Tout ce que Kath obtint, ce fut un haussement d'épaules indifférent. Mais au fond d'elle-même, la vraie Cassie était contente. Après avoir reporté pour la seconde fois son entrée à l'université, elle était fatiguée de lire ses livres de cours en secret, et fatiguée de se sentir coupable d'être pressée de partir. La maison lui flanquait encore des cauchemars, et elle avait recours à des stratagèmes de plus en plus élaborés pour que Jen rentre avec elle chaque fois qu'elle s'aventurait à l'extérieur. Elle se débrouillait toujours pour ne pas avoir à franchir le seuil la première. Sortir de la maison, c'était un peu comme de pouvoir s'étirer après un vol long-courrier de six mois.

— Pourquoi pas, Maman, c'est une bonne idée…

— Lorsque tu auras repris tes études, je crois que ça me fera le plus grand bien de remettre ma vieille matière grise à contribution. Ça fait bientôt vingt ans que je n'ai pas eu à bachoter pour un examen !

Et voilà. La permission mutuelle de vivre. Cassie esquissa un faible sourire, puis s'excusa et monta dans sa chambre avec son café. Elle s'installa à son bureau, avant de se relever pour s'assurer qu'elle avait bien verrouillé la porte. En entendant la clé cliqueter dans la serrure, Kath sortit dans le jardin de derrière, espérant tomber sur Mary pour bavarder un peu.

Apercevant les pieds de sa voisine à travers la haie, Mary abandonna son sarclage, se releva et la rejoignit. Kath n'arrivait pas à contenir ses larmes.

— Nous avons réussi… Nous avons eu une conversation qui a duré au moins trois minutes, sans cris, sans bouderies, sans portes claquées.

Avec un doux sourire, Mary attendit la suite.

— Je crois qu'elle pourrait vraiment le faire, tu sais ? J'avais tellement peur qu'elle continue à reporter son entrée jusqu'à ce que l'université lui retire sa place… Mais maintenant, je crois vraiment que tout ira bien. Le problème, c'est que j'ai promis de mon côté de reprendre mes études là où j'en étais restée. Mickey m'y avait toujours encouragée.

En mentionnant son nom, sa voix trembla un peu. Mais ses yeux trouvèrent ceux de Mary, et elle sourit.

Alors que les deux femmes bavardaient, Cassie, campée devant sa fenêtre, les observait à travers un mince interstice des rideaux. Sirotant son café, elle traversa la pièce sombre jusqu'à son bureau et alluma sa lampe. Elle ouvrit le tiroir où, sous de vieilles revues, elle retrouva la lettre du Service des Inscriptions qui n'attendait plus que sa signature.

Sur le bureau, elle prit dans son étui en cuir le stylo en argent que son père lui avait donné à Noël quand elle avait seize ans et, avec un chuchotement à son attention, signa le document.

CHAPITRE 6

Pour me calmer, il n'y avait que le silence et le sang.

Chaque fois que je passais du temps à interagir avec les masses imbéciles, ça me laissait sans ressort. On aurait dit que mon aversion du monde aidait ma concentration et mon énergie à croître et que, sans cela, je glissais dans un état de bienheureux néant. Il était difficile de haïr et de jouer le jeu en même temps.

Tout le dégoût que m'inspiraient ces... ces voleuses d'oxygène... se dissipait dans la solitude et le silence. Ma bile attisait mes élans et, sans elle, mes pulsions destructrices se désintégraient.

Au fond, j'ai toujours apprécié le genre de paix qui s'installe quand on a l'impression que le monde est bâillonné, que tous les sons sont étouffés. C'est le genre de silence que j'entendais en moi-même — sauf que ce n'était pas vraiment du silence. Chaque fois que je le sentais grandir, pousser contre ma peau pour se libérer, j'avais peur de respirer. Je savais que je ne pouvais plus ne serait-ce que proférer un son car si j'entrouvrais ma bouche, le silence se transformerait en un hurlement qui ricocherait sur mes os pour toujours. Il se libérerait et je ne pourrais plus l'en empêcher. Je serais éternellement prisonnier de sa fureur. Ce hurlement des-

tructeur ne serait que le commencement de ce qui guettait la plus petite occasion pour exploser au grand jour. Aiguillonné par la rancœur, la bête en moi fulminait dans le noir, attendant que je déclenche quelque chose qui ne pourrait plus s'arrêter. J'aurais dû avoir peur de cette chose, mais sa colère était mon fluide vital.

J'étais fier de la force mentale dont je faisais preuve, et qui me permettait de voir s'achever chaque jour sans déplorer aucun incident.

En ces instants, la seule foi qui me guidait était celle de la lame. Ce qui était confus se clarifiait, ce qui était trouble s'atténuait. Tapi dans les replis apaisés de mon esprit, je me regardais saigner, coaguler puis guérir. J'adorais ces petits moments de concentration… l'éclatante limpidité qui gagnait les choses à mesure que la brume se levait. Et tout ce contrôle à partir d'un simple scalpel…

Je savais qu'un jour, toutes mes attentes, tous mes sacrifices trouveraient leur justification. La femme de ma vie me découvrirait et, ensemble, nous nous élèverions au-dessus de la masse pour tendre à plus de pureté et de mérite qu'aucun d'entre eux. Nous ferions preuve de grandeur. Eux attendaient juste de mourir.

Moi, j'attendais autre chose. Mes cuisses, mes bras attestaient de ma patience. Rien ne me procurait plus de satisfaction que de voir le petit filet de sang tiède qui s'écoulait de la plaie lorsque j'imprimais un jour supplémentaire de frustration dans ma chair tolérante. Tel un prisonnier traçant sur son mur des bâtons représentant les jours écoulés, je rongeais mon frein à coups de lacérations, et les cicatrices me rappelaient toujours quel était mon objectif.

CHAPITRE 7

Aspirant de plus en plus à l'indépendance financière, Cassie accepta à contrecœur un job le week-end auprès d'un photographe spécialisé dans les mariages, ce qui lui imposait des horaires aussi délirants que les noces elles-mêmes. Les mois qui suivirent, son rêve de devenir une grande photographe portraitiste s'évanouit peu à peu parmi les mariées pompettes et les familles en guerre. Tous les clichés que ces familles ne voudraient jamais voir, et qui lui auraient valu un licenciement immédiat, tapissaient un mur de sa chambre. Ses photos favorites étaient celle d'une mariée ivre morte qui avait ouvert la portière de la limousine pour vomir sur les chaussures du chauffeur, ou une autre où le jeune marié, le nez en sang, restituait au portier une de ses dents, ou encore celle où toute une tablée d'invités basculaient de leurs chaises qui s'enfonçaient dans la pelouse fraîchement arrosée. Elle avait cérémonieusement brûlé les négatifs d'un mariage ayant pour thème les contes de fées. Elle pouvait supporter beaucoup de choses, avait-elle expliqué à Jen, mais pas ces lutins à la con, et d'ailleurs elle méritait bien une médaille pour s'être abstenue d'allonger une torgnole au morveux qui était venu se moucher dans un pli de sa jupe.

Jen s'impliquant beaucoup dans les multiples projets qu'organisait son département universitaire, les filles se voyaient de moins en moins. Cassie prit de plus en plus l'habitude de s'enfermer dans sa chambre noire, son sentiment croissant de vide intime alimenté par tout un univers d'images, et non d'expériences. Constituant une sorte de rempart derrière lequel elle se cachait, son appareil photo devint son protecteur. Même en dehors de son travail, l'appareil l'accompagnait partout, le prétexte parfait pour tout observer de loin plutôt que de participer.

Un samedi, début octobre, Cassie se réveilla avec l'humeur massacrante qui l'accablait depuis la veille au soir, en version concentrée. Elle la cultiva tout au long de la matinée, jusqu'à atteindre un degré de colère auquel elle-même n'était pas habituée.

Ayant à peine touché à son déjeuner, elle resta avachie sur sa chaise, le regard lointain, en rage, le corps tendu comme un arc. Elle serrait les poings, enfonçant ses ongles dans la chair de ses paumes. Lorsque Kath lui demanda ce qui n'allait pas, elle s'écria « Ça n'a rien à voir avec Papa, c'est juste que…! », avant de repousser sa chaise dans un crissement de carrelage et de quitter la pièce comme une tempête, en claquant la porte beaucoup plus fort qu'elle ne l'aurait voulu.

En vérité, Cassie n'avait pas idée de ce qui n'allait pas, il y avait juste quelque chose qui lui échappait, comme lorsqu'on passe la journée entière à tenter de se souvenir du seul truc qu'il ne fallait absolument pas oublier de faire.

Jen ne serait pas chez elle avant dix-neuf heures, alors elle sortit.

Quand Jen rentra à la maison, bien plus tard que prévu, elle tomba droit sur sa mère. Inquiète, Mary voulut savoir si elle avait vu Cassie dans la journée. Jen lui conseilla de ne pas s'inquiéter, arguant que la jeune fille était probablement en mission. Mais lorsqu'elle sut que Cassie avait pris un jour de congé, elle s'inquiéta à son tour. Son amie faisait rarement quelque chose sans la consulter, et cette disparition inexpliquée ne lui ressemblait pas.

À vingt-deux heures, l'anxiété de Jen frisait l'affolement ; elle avait passé la soirée à faire le tour de leurs points de chute habituels en appelant à grands cris sa meilleure amie, alors qu'elle savait déjà d'instinct que cette quête ne la mènerait nulle part. Elle resta longtemps assise sur l'herbe, sous le grand panneau publicitaire, à contempler la circulation routière, apaisée par les bruits intermittents de l'affichage électrique. Puis elle cessa de surveiller toutes les voitures qui venaient se garer sur le parking, et rentra chez elle. Pas question d'être dehors à minuit, après le couvre-feu. En arrivant, elle trouva Kath en train d'épancher sa colère auprès de Mary. Elle n'en pouvait plus de l'égoïsme de sa fille, qui se montrait incapable de tenir compte des autres. Mais elle partait du principe que rien de grave n'était arrivé. C'était de Cassie dont on parlait, après tout, et selon toute probabilité, celle-ci devait n'en faire qu'à sa tête, comme toujours. Cela n'empêcha cependant pas les deux mères de reconnaître combien elles avaient peur, au bout du compte.

John quadrilla le voisinage au volant de sa voiture, cherchant la jeune fille dans tous les coins, mais elle demeura introuvable. Les flics furent contactés, mais lorsqu'ils se présentèrent, ils posèrent trop de questions à Jen. Non, elles ne s'étaient pas querellées. Non, elle ne connaissait pas le petit ami de Cassie, pas plus qu'elle ne savait si le couple avait un endroit secret où il se rendait parfois. Le flic qui l'interrogeait s'efforçait de faire copain-copain avec Jen, se la jouait décontracté, affirmant qu'il désirait juste aider. Ça ne prit pas. Dans l'univers de Jen, quelque chose venait de changer, et même si elle n'avait pas les mots pour l'expliquer, elle savait au fond de son cœur que Cassie n'était ni morte ni en danger.

Après le départ du flic, Jen resta assise le dos voûté sur le porche de Cassie, avec la conviction indignée que son amie était tout simplement là où elle avait envie d'être. Cette réflexion la prit au dépourvu et elle fondit en larmes, sans pouvoir s'arrêter.

En douze ans, elle ne se souvenait pas d'une seule journée passée sans Cassie. Cassie, qui avait toutes les bonnes idées, qui était courageuse, intelligente, forte, qui refaisait le monde pour elles deux… Cassie qui n'avait peur de rien, ne se laissait intimider par personne. Cassie qui pouvait faire d'un souffle d'air un événement, un rire, une aventure. Cassie qui était au courant de tous les potins. Cassie qui lui disait tout — tout ! — et qui, apparemment, venait de s'enfuir avec un garçon dont Jen n'avait jamais entendu parler. Et si elle ne revenait jamais ? Et si elle avait disparu pour toujours ? À cette seule pensée, les larmes de Jen redoublèrent. Plus elle était bouleversée, plus Jen se faisait de reproches. À force d'être assommante, de n'avoir jamais de bonnes idées, d'être trop réservée et accaparée par ses cours, elle avait dû représenter un véritable boulet pour Cassie durant toute cette année.

Jen pleura à chaudes larmes jusqu'à ce que son auto-apitoiement se transforme à nouveau en colère. Et pour la toute première fois, le ressentiment l'envahit. Comment un garçon pouvait-il être plus important qu'elle ? Depuis quand Cassie le connaissait-elle ? Pourquoi ne lui avait-elle rien dit ? Bon sang, pourquoi Cassie ne pouvait-elle pas à la fois avoir un chéri et rester son amie ? Ses pleurs séchant, Jen sentit monter en elle la fureur. Puis dans l'obscurité, avec les criquets pour seule compagnie, elle retrouva son calme. Elle venait d'être rejetée. Plaquée et abandonnée. De toute évidence, pendant toutes ces années, Cassie avait juste feint d'être son amie, se laissant vivre le temps qu'elle trouve un foutu mec avec lequel s'enfuir.

La hargne rendit à Jen son calme.

Les mois suivant le décès de Mickey, elle s'en souvint, Cassie lui avait dit que si on aimait quelqu'un d'un amour vrai et authentique, on lui faisait inconsciemment cadeau d'une partie de son cœur, tandis que l'autre faisait de même en échange. À l'époque, Jen avait pensé que, d'une certaine façon, Cassie parlait de leur amitié, mais à présent, elle se rendait compte qu'elle s'était bien trompée.

Jen aimait Cassie et aurait fait n'importe quoi pour elle. Mais les meilleures amies du monde n'étaient pas censées se comporter ainsi. Jen avait accordé son amitié à Cassie, lui faisant pleinement confiance, l'aimant sans conditions. Et depuis le début, elle avait cru en la réciprocité d'un tel lien. Pendant qu'elle restait assise toute seule dans la nuit estivale, elle avait le sentiment que, quelque part, Cassie était en train de rire de sa naïveté.

Tu détiens une partie de moi-même, se dit-elle, *alors si jamais tu as besoin de quoi que ce soit venant de moi, tu peux aisément le prendre. Tu ne peux pas avoir plus.*

Aux petites heures du jour, avec la permission de Kath, Jen se lova dans le lit de Cassie, se berçant elle-même en quête de sommeil, respirant sur l'oreiller la douce odeur de son amie. Elle rêva d'un coin de littoral où elles avaient été en vacances ensemble, où le soleil estival durcissait l'argile, et où une marée tranquille poussait des vaguelettes sur la grève limoneuse.

Dans son rêve, Jen était seule, en costume de bain et en t-shirt long, foulant l'herbe douce et gorgée de chaleur, l'argile humide, percevant la caresse du soleil sur la peau et le limon huileux entre ses orteils. Elle se retrouva bientôt dans une pièce où s'empilaient le long d'un mur des cartons vides et poussiéreux. Un vieillard lui tournant le dos inspectait soigneusement les inscriptions à demi effacées sur chaque carton tandis que Jen découvrait les lieux. Il n'y avait qu'une petite fenêtre haute à barreaux, par laquelle les rayons du soleil filtrant illuminaient l'air empoussiéré, et tombaient sur un autel de marbre recouvert d'un drap blanc, au milieu de la pièce. Le drap dissimulait quelque chose. Intriguée, mais nullement effrayée, Jen s'avança et, tirant dessus, dévoila son propre cadavre.

Elle se réveilla en sursaut, haletante, et chercha à prendre une grande inspiration. Les oreilles résonnant des battements affolés de son cœur, elle attendit que son rythme cardiaque s'apaise. Elle contemplait la pâleur de l'aube quand elle entendit un moteur qui tournait au ralenti, dans la rue. Et soudain, Cassie, encore ivre, enjamba sa propre fenêtre et entra dans la chambre.

Avant de s'assoupir, Jen était restée à demi-consciente, imaginant des tas de scénarios. Son favori était celui où Cassie revenait toute contrite, se répandant en excuses, et lui répétait combien elle l'aimait, combien elle avait besoin d'elle. Promis, plus jamais elle ne laisserait un garçon s'immiscer entre elles. Magnanime, elle pardonnerait à Cassie, et tout s'arrangerait. Mais au fond, Jen savait bien ce que signifiait la fugue de Cassie : elle n'était bonne qu'à être son public et sa confidente, mais jamais sa complice. Il en fallait beaucoup pour pardonner ce genre d'offense, et Jen n'était pas certaine d'être capable de le faire.

Mais à présent, elle se retrouvait prise entre son immense soulagement de constater que Cassie n'était pas morte, et son regret qu'on ne l'eût découverte flottant sur le ventre dans un étang grouillant de têtards vengeurs. Au moins, si Cassie avait eu la décence de reparaître sous forme de cadavre, Jen aurait pu s'habiller en noir et porter publiquement le deuil de son amie, afficher son chagrin aux yeux du monde entier… Mais au fond, Jen se doutait bien qu'elle se contenterait de voir Cassie s'excuser. Du moment qu'elle se montrait vraiment bourrelée de remords.

À entendre les petits rires et les imprécations soûles que lâchait Cassie tout en s'effondrant dans la chambre, Jen sut que si elle se laissait surprendre éveillée, Cassie lui déballerait toutes ses aventures de la soirée, lui raconterait des histoires de mecs et de boisson, et qu'elle serait finalement obligée de pardonner la fugueuse sans autre commentaire. Mais elle n'était pas prête pour ça. Fermant les yeux, contrôlant sa respiration, Jen feignit de dormir, avec l'espoir que Cassie ne viendrait pas voir de trop près si elle faisait semblant ou pas.

Le silence régnait dans la chambre et, à la chiche lumière du petit jour, Jen rouvrit un œil à temps pour voir Cassie se débarrasser de ses vêtements tachés de traînées herbeuses. En sous-vêtements, incapable de tenir sur une seule jambe, elle perdit l'équilibre et s'écroula sur le lit.

— *Ouf !* 'scuse, chérie ! marmonna-t-elle, pas surprise pour un sou de trouver Jen dans ses draps.

Sans plus de cérémonie, elle grimpa dans le lit, et se tortilla jusqu'à ce qu'elle ait repris possession du matelas étroit.

La colère qui enflait en Jen s'évanouit brusquement, comme une vague emportée loin du rivage par une lame de fond. Elle demeura immobile jusqu'à ce que Cassie commence à ronfler, puis rouvrit les yeux, refoulant ses larmes. Sur la peau de son amie, elle sentait l'odeur de l'herbe. Légèrement en appui sur le duvet frais et doux du dos de Cassie, elle fourra le nez dans ses cheveux. Elle aurait voulu qu'elle se retourne, l'enlace et la serre dans ses bras, et lui dise que tout allait bien.

Malheureusement, Jen savait que tout ce qu'elle pourrait dire ou faire resterait sans effet. Jalouse, frustrée, elle se sentait reléguée au second plan, une position dans laquelle elle devait trop souvent se retrouver dans les années à venir.

Au matin, Kath annonça que sa fille était rentrée saine et sauve à Mary, qui en fut soulagée, et annonça la nouvelle à un flic imperturbable. Plus tard, de la chambre de Cassie, Jen perçut les murmures qui venaient d'en-bas, puis les cris et les imprécations. Puis la porte claquée violemment, dont le bruit résonna dans toute la maison. Puis le bruit reconnaissable entre tous de Cassie furieuse gravissant quatre à quatre l'escalier, après s'être fait sévèrement remettre en place.

Dans le calme relatif de la chambre, Jen comprit que Cassie ne prêterait pas la moindre attention à son chagrin (bien qu'à la lumière du jour, celui-ci semble finalement un peu exagéré). Néanmoins, elle était toujours folle de colère et n'en fit pas mystère.

Impénitente face à la rage muette de Jen, Cassie se contenta de hausser les épaules et de se jeter à plat ventre sur son lit en faisant mine de lire une revue. Jen tenta d'exprimer sa peine et à sa colère, mais elle avait du mal à retenir ses larmes, si bien qu'elle finit par se taire, et prendre une profonde inspiration.

— Quel était le problème, Cassie ? On ne te prêtait pas assez attention ?

Dans le silence de la pièce, Jen n'entendait plus que son propre souffle. Cassie ne broncha pas. Jen attendit de pouvoir parler plus calmement. Et même alors, sa voix fut à peine plus qu'un murmure lorsqu'elle lâcha :

— Je te déteste !

Bouleversée, le cœur brisé, Jen rentra chez elle, et ferma doucement la porte de sa chambre sur ses talons. Les mains de Cassie tremblaient tant qu'elle déchira involontairement la page qu'elle tournait. Elle balança la revue à travers la pièce et, horrifiée, la vit rebondir contre le miroir de sa coiffeuse, et renverser un flacon de parfum que Jen lui avait offert la semaine précédente. Le flacon se brisa en mille morceaux sur le parquet, libérant ses fragrances dans la petite pièce. Furieuse, honteuse, Cassie contempla les dégâts avant de tirer le duvet sur elle et de fondre en larmes.

Elle avait passé une soirée atroce. Un gaillard stupide qu'elle connaissait de l'école l'avait enivrée (certes, elle s'était laissée faire), puis emmenée à une fête universitaire jusqu'à une heure si tardive, bien après le couvre-feu, qu'elle avait fini par se dire, dans sa confusion, qu'elle ferait aussi bien de rester s'amuser autant que possible. Elle se souvenait avoir dit cela au type avant de monter dans sa voiture. Ensuite, elle ne se rappelait rien, sinon qu'ils s'étaient retrouvés garés au sommet d'une colline, dans un coin retiré à l'autre bout de la ville. Et là, elle avait oublié de dire non à tout un tas d'autres trucs.

À présent, accablée, meurtrie, affligée d'une sévère gueule de bois, elle était terrorisée car elle se rappelait n'avoir que vaguement songé à prendre les précautions indispensables avant de se laisser faire. Au réveil, elle avait voulu demander à Jen de l'aider à trouver une pharmacie éloignée du voisinage, mais cette option était désormais inenvisageable. Plus que tout, elle aurait voulu que Jen la prenne dans ses bras, lui dise que tout irait bien, qu'elle était négligente mais pas si stupide, pas vraiment, que ces choses-là arrivaient, que les mecs étaient tous des tocards et qu'elle veillerait toujours sur elle.

Séparées par une simple cloison, chacune enfermée dans sa chambre et réfugiée dans son lit, toutes deux passèrent des heures à pleurer et à somnoler. Ni l'une ni l'autre n'avala quoi que ce soit de la journée. Un calme mortel s'installa dans les deux maisons. Kath et Mary échangèrent quelques mots à voix basse, au-dessus de la haie. Après une telle journée, le soleil ne se coucherait jamais assez tôt.

Le lendemain matin, tout semblait être revenu à la normale. Cependant, il fallut des mois pour que le malaise se dissipe vraiment entre Jen et Cassie.

Deux ans plus tard, Jen eut son premier chagrin d'amour. Tandis que Cassie s'enflammait, taxant les garçons de bons à rien et affirmant que seules les amies ne vous lâchent jamais, Jen se fit la réflexion qu'elle supportait plutôt bien d'être rejetée et abandonnée, car ce n'était pas la première fois. C'était Cassie qui lui avait appris à surmonter un revers affectif de cette violence. Même l'hypocrisie de son amie ne parvenait plus à lui faire de la peine.

Si Jen pleurait dans les bras de Cassie (« *Je serai toujours là pour toi* », répétait celle-ci), ce n'était pas pour avoir perdu un petit ami insignifiant, mais parce que son cœur était brisé depuis longtemps.

CHAPITRE 8

Je suis prêt.

En vérité, je le suis depuis des siècles, mais il a fallu plus longtemps que je n'aurais cru pour que la femme idéale me trouve. Je n'aurais jamais imaginé devoir faire preuve d'autant de patience, mais j'ai appris à composer avec. Au fil du temps, l'anticipation et la frustration deviennent une bonne souffrance. Savoir reconnaître le bon type de douleur, voilà l'important.

Et puis, souffrir ne me fait pas peur. La douleur, c'est le prix qu'il faut être disposé à payer pour mériter quelque chose. Et la plupart du temps, on doit payer d'avance. J'ai eu beaucoup de mal à le comprendre. Trop longtemps, j'ai été incapable de faire la part du bien et du mal dans la souffrance, si bien que mon esprit n'était pas toujours un lieu très fréquentable… J'ai subi trop de malheurs et d'insatisfactions. Mais bientôt, la vérité me fut révélée.

Cela faisait un bon moment, donc, que j'étais fin prêt, et entièrement disposé à trouver ma femme idéale. Mon âme sœur. La personne qui aurait besoin de moi plus que de quoi que ce soit d'autre au monde.

Je savais que je la reconnaîtrais lorsqu'elle me sourirait. Son sourire, voilà qui m'indiquerait la femme de ma vie. Le sourire de certaines m'avait déjà fait oublier jusqu'au jour de la semaine. J'en perdais mes moyens. C'était comme si quelqu'un avait braqué un énorme projecteur sur moi. Au fond, j'adorais ça.

Je ne me souviens même pas comment ça arriva, sinon qu'un jour, elle n'était pas là, et que le suivant, elle l'était.

Avec elle dans ma vie, je savais que je n'aurais plus jamais à m'inquiéter de quoi que ce soit, ni à me sentir mal ou seul. J'allai la voir chaque jour, rien que pour la regarder, la boire.

J'avais rêvé d'elle depuis si longtemps... Pendant toute ma solitude, j'avais déjà été amoureux d'elle, de l'idée que je me faisais d'elle. Ses goûts musicaux, ses opinions politiques, son style vestimentaire, son sens de l'humour — tout en elle serait parfait. Je savais qu'elle serait toujours avec moi, tout le temps. Je ne manquerais plus jamais de quoi que ce soit.

Je désirais ardemment qu'elle prenne conscience de tous les sacrifices auxquels j'avais consenti en me préservant à ce point pour elle. Je savais que je pourrais me fier à elle, partager avec elle cette partie de moi-même, car cette femme merveilleuse serait pour toujours avec moi. Quand le bon moment se présenterait, je le lui dirais.

Dès qu'elle fit partie de ma vie, je commençai à me sentir un peu stupide d'avoir tant douté. Car chaque jour qui passait, même dans la solitude, me rapprochait de celui où elle serait avec moi. J'aurais dû moins douter.

J'avais hâte de faire des courses pour elle ; je savais exactement ce qui lui plairait. Je me réjouissais de cuisiner pour elle, car je savais déjà quel serait son plat favori. À présent, quand j'entendais de la musique, je croyais toujours entendre sa douce voix fredonner la mélodie. Le paradis, ce serait de s'endormir en sentant sa chaleur contre mon corps.

Shauna.

Ma mère disait toujours : « Les « Je veux » ne t'avanceront à rien ».

Eh bien, Shauna lui a prouvé qu'elle avait tort. Je la désirais, je l'attendais, et je l'ai eue.

Shauna était tout à moi. Chaque fois que je la regardais, je sentais monter en moi une énergie positive, me confirmant que toutes mes attentes, mes désirs et tous mes sacrifices avaient abouti. Dès le début, j'avais su que j'étais promis à une grande destinée, quelque chose de singulier.

Avec Shauna, mon univers prenait un sens, tout devenait cohérent.

Je n'avais plus à me soucier de quoi que ce soit parce qu'elle allait arranger tout ce qui n'allait pas dans ma vie, toutes les petites tracasseries. Elle apportait de l'amour et du sens à mon existence.

Il n'y aurait pas de fardeau physique, émotionnel, spirituel ou mental que je ne puisse supporter, du moment que Shauna le partagerait avec moi.

Elle me guérirait. Elle me révèlerait à la plénitude. Et mon bonheur serait complet.

Mais comme le disait aussi ma mère, « On n'a toujours que ce qu'on mérite ».

CHAPITRE 9

Cassie s'adapta finalement à sa nouvelle vie à l'université de Ryerson, et même si elle avait une année de retard par rapport à Jen, toutes deux continuaient de se voir régulièrement. Cassie savourait pleinement sa liberté nouvelle. Elle était prête non seulement à commencer les cours, mais aussi à quitter la maison. Elle s'empressa d'accepter l'offre d'une chambre à louer dans une résidence proche du campus. Jen préféra rester chez elle, ravie de continuer à être nourrie et blanchie.

Chacune dans son apprentissage, elles vivaient des expériences diamétralement opposées. Cassie faisait constamment la fête, et si elle s'en sortait tout de même dans ses études, ce n'était pas tant grâce à ses talents que grâce à une chance invraisemblable. Jen, elle, trouvait son bonheur dans une charge de travail écrasante lui permettant de se retrancher régulièrement derrière ses activités pour éluder les questions à propos de sa vie privée. Elle était trop débordée pour avoir un petit ami. Cela devint sa réponse standard chaque fois que sa mère, sa grand-mère, Cassie (ou encore ses tantes, Gita la secrétaire de l'université, sa coiffeuse et tous les autres) estimaient devoir s'en mêler.

Ne voulant pas donner dans cette hypocrisie, Cassie donnait constamment à Jen des conseils sur sa vie sentimentale. Un jour, succombant à la rancœur, Jen se sentit assez courageuse pour faire remarquer à Cassie combien elle était mal placée pour lui faire des commentaires, elle pour qui une relation sérieuse et authentique consistait essentiellement à ne s'enfuir qu'après le petit-déjeuner... Elle n'aurait pas pu tomber plus mal.

Une heure plus tôt, Cassie avait pris un café avec sa mère, se retrouvant sur la sellette avant d'avoir pu ingérer sa première vraie dose de caféine de la journée. S'attendant à avoir deux personnes à déjeuner, Kath avait déploré la complète inaptitude de sa fille à garder un homme assez longtemps pour qu'il lui soit présenté. Cassie avait réagi avec une virulence inhabituelle, répliquant, « *soit, Maman, j'aurai un petit ami, à condition que tu en aies un aussi !* »

La douleur et la perte qui avaient alors marqué le visage de sa mère avaient rempli la jeune femme de honte. Ouvrant la bouche pour s'excuser, elle n'avait plus réussi à articuler un son. Dans le silence terrible qui avait suivi, Kath avait dégluti avec peine. D'une petite voix ferme, elle avait répondu, « *Je sais combien la vie peut être courte, Cassie. Je voudrais juste que tu sois heureuse. Ne m'en veux pas pour ça.* »

Quand Jen, qui ne se doutait de rien, avait ajouté ses propres critiques par là-dessus, cela avait provoqué une rude mise au point. Cassie se fit fort d'expliquer à Jen, ainsi d'ailleurs qu'à tous les clients du snack, que personne n'était en droit de la juger, quoi qu'elle fasse.

Une semaine plus tard, lorsque Cassie demanda à Jen de la conduire à une pharmacie à l'autre bout de la ville, les deux filles firent tout le trajet dans un silence de plomb. Jen était exaspérée par l'irresponsabilité de son amie.

Enrhumée, Cassie n'avait cessé de renifler de tout le parcours, aller et retour, jetant ses mouchoirs froissés sur le tas qui s'accumulait à ses pieds. La seule fois que Jen parla, ce fut pour dire : « *Bon sang, tu as vraiment de la veine de n'avoir attrapé qu'un rhume…* »

Reniflant à fond, Cassie contempla le paysage par sa vitre. Tant que son système immunitaire semblait fonctionner, elle pouvait supporter les sarcasmes de Jen.

Pour avoir subi ses lamentations à propos de la relation idéale (encore qu'avec tant d'amants au compteur, Cassie elle-même ne s'y retrouvait plus), Jen ourdit une vengeance à l'occasion du vingt-et-unième anniversaire de son amie. Elle lui offrit une clochette d'argent. C'était censé être une plaisanterie.

Cassie avait ouvert la boîte à bijou et contemplé son contenu avant de relever vers Jen un regard perplexe et intrigué.

— C'est beau, chérie, mais là, j'avoue que je ne te suis pas. Pourquoi une clochette ?

— Pavlov…, répondit une Jen laconique, s'efforçant de garder son sérieux. Lauréat du Prix Nobel. Il a fait beaucoup de recherches sur le conditionnement. Constatant que les chiens se mettent à baver à la vue de la nourriture, il les habituait à un stimulus auditif émis à l'aide d'une clochette à chaque fois qu'il les nourrissait. (Elle sourit à Cassie.) À force de réitérer ce stimulus, il a prouvé que les chiens finissaient par saliver rien qu'au son de la cloche, même quand ils n'avaient pas faim ou qu'ils ne voyaient pas la nourriture.

Cassie ne parut pas plus avancée, et Jen réalisa alors que si elle avait acheté cela par plaisanterie, elle y avait en fait été poussée par tout autre chose.

— Tu es en train de me traiter de chienne ? s'écria soudain Cassie d'un ton perçant, passant complètement à côté du sujet.

Mais Jen ne lui laissa pas le temps de monter sur ses grands chevaux :

— Pas du tout. Je me disais seulement que si tu pouvais apprendre à passer directement au lendemain matin en faisant l'impasse sur la nuit d'avant, ça m'éviterait de perdre tous mes dimanches à lambiner autour des pharmacies, pendant que tu fais valoir ton droit légal à la pilule miracle. J'essaye juste de maintenir ta salivation sous contrôle.

Ç'avait été une de leurs bagarres les plus spectaculaires. Le temps que sa mère accoure pour les séparer, Jen y laissa quelques mèches de cheveux. Cassie ne fut pas en reste, parce que le coup de poing que Jen lui plaça avec adresse fit son petit effet. L'hématome lui dura une bonne semaine, et passa par toutes les couleurs de l'arc-en-ciel, comme une tache d'huile sur un parking routier.

À la suite de cette dispute, Jen réalisa à quel point elle était fatiguée de Cassie. Devant son égoïsme permanent, son manque total de considération pour elle, Jen doutait qu'on puisse encore appeler amitié la relation qui les liait. Ces derniers mois, il y avait eu trop de nuits où Cassie l'avait épuisée, la traînant dans toutes les fêtes et tous les bars qu'elle considérait comme de bons terrains de chasse. Elle dénichait deux types, et faisait l'animation jusqu'à ce que Jen fasse quelque chose de stupide, comme d'aller aux toilettes. Cassie saisissait alors sa chance et, au retour de son amie, lançait une excuse bidon par-dessus son épaule avant de se diriger vers la sortie, lui laissant l'autre type sur les bras. Encore un pauvre gars rejeté et embarrassé, à qui Jen devait faire la conversation, avec pour thème, en général, les meilleures façons de survivre à ses amis.

Quelquefois, Jen s'était laissé tenter par une aventure sans lendemain, ou une amourette de week-end. Mais le plus souvent, sentant qu'il ne pouvait s'agir que d'un pis-aller qui ne mènerait nulle part, elle prenait rapidement congé et rentrait chez elle. Ensuite, elle devait encore essuyer les reproches de Cassie, quand celle-ci rentrait après sa coucherie.

Jen en avait assez.

Ce que Cassie prenait pour de la passion ou de la spontanéité dégénérait toujours, d'une façon ou d'une autre, en quelque chose de désespérément sordide.

Elle aimait la drague, et le flirt lui procurait un sentiment de puissance. Elle était spirituelle, éloquente et maligne. Elle se savait intéressante et séduisante. Elle aimait se sentir ardemment désirée des garçons, et adorait les faire attendre. Elle commandait encore à boire, insistait pour avoir une dernière danse. Elle les mettait en compétition les uns avec les autres, rien que pour s'assurer de ce qu'elle croyait être leur dévouement.

Ayant rendu trop claire sa totale disponibilité, Cassie n'avait jamais trouvé le moyen de se soustraire au dénouement inévitable de la soirée.

Loin du chahut et des lumières, des effleurements et des sourires, Cassie succombait une fois de plus, et subissait les étreintes maladroites d'un étranger. Appartement merdique ou chambre d'hôtel louche, ça ne faisait aucune différence. Chaque fois, elle espérait tomber sur un amant susceptible de se révéler différent, de l'amener à se sentir mieux. Mais chaque fois, c'était comme si elle était plongée dans l'hébétude.

Cassie était depuis longtemps convaincue que les femmes avaient le droit de se sentir belles, attirantes, et qu'elles avaient droit au plaisir. Mais elle, elle simulait. Elle n'offrait qu'une façade à ses aventures et s'attendait toujours à être percée à jour. Mais plus le jeu se prolongeait, plus elle se disait que personne n'y prêtait vraiment attention.

Se sentant vide, morte à l'intérieur, elle en venait à penser que le sexe était le prix du flirt. Une transaction, qu'elle s'estimait obligée d'honorer.

Elle en vint aussi à ne ressentir que mépris pour ses petits amis. Ils étaient avec elle pour gagner un pari. Ou pour relever un défi. Leurs potes écoutaient probablement de l'autre côté du mur. Elle le savait, s'ils riaient de ses plaisanteries, s'ils lui disaient qu'elle était jolie, s'ils hochaient la tête en prenant l'air intéressé quand elle parlait d'elle pendant presque toute la nuit, ça n'était que pour mieux l'attirer ensuite au fond d'un lit, où elle la bouclerait enfin et passerait à la casserole.

Pendant et après ces étreintes sordides, Cassie s'efforçait de se persuader que c'était son choix. Son choix de femme libre, indépendante, célibataire. Tous ces types, elle les utilisait. Elle repartait avant qu'ils ne se réveillent. Elle ne voulait rien d'eux. Mais alors, pourquoi leur refilait-elle quand même, l'air de rien, son numéro de téléphone ? Pourquoi rentrait-elle chez elle prendre des douches brûlantes et s'endormait-elle en pleurant ? Pourquoi ne leur avouait-elle jamais que le sexe était une corvée, pour elle, pourquoi ne se demandait-elle pas ce qui l'aurait rendue heureuse ?

Prenant de longs bains chauds, ces innombrables lendemains matins, Cassie comptait ses bleus. Trop souvent, elle découvrait sur son corps des marques violacées, preuves de la brutalité des abrutis ivres morts qui l'empoignaient et la malmenaient, ravis de sa complaisance, trop heureux de s'offrir de la chair fraîche pour bien finir la soirée.

Au fond, ce n'était pas eux qu'elle détestait. Elle l'aurait bien voulu, mais celle qu'elle haïssait vraiment, c'était elle-même.

Seulement, les aventures de Cassie ne suscitaient plus l'attention que, selon elle, elles méritaient. Jen quittait rarement son laboratoire, résolue à mener à bien une expérience herculéenne doublée d'un interminable protocole d'analyses. Elle en était préoccupée au point de perdre le sommeil, mais de l'aide se présenta. La secrétaire du département universitaire, Gita, lui octroya l'exclusivité d'un laboratoire. Bien sûr, il y avait une contrepartie : Jen dut donc travailler tous les soirs, ainsi que la plupart des week-ends. Elle finissait si tard et commençait si tôt que ça ne valait pratiquement plus la peine qu'elle aille se coucher.

Les rares occasions où Jen trouvait le temps de sortir en boîte ou dans les bars, par une ironie du sort, elle se retrouvait toujours avec quelque créature gluante et sans intérêt qui lui faisait regretter d'avoir quitté son poste.

Néanmoins, elle s'était trouvé une nouvelle amie et alliée en la personne de l'exubérante secrétaire viennoise, si bien que son univers devint autrement plus amusant. Souvent, durant des week-ends de travail, elle voyait une main aux ongles écarlates, aux doigts couverts de bagues dorées, et qui tenait une bouteille de gin, se glisser dans l'embrasure de la porte. Gita ne reculait pas devant un simple non (« Ni mon mari, ni Dieu, ni même toi, ma petite, ne me refusent rien ! »), et Jen avait fini par en prendre son parti. Elle s'était habituée à la conception qu'avait Gita d'un « petit coup à boire »… Toute vêtue de rose fuchsia et d'orange fluo, dotée d'un rire explosif, Gita mettait de la joie dans la vie de Jen.

Un an plus tard, constamment accablée d'obligations institutionnelles, Jen se retrouva à son corps défendant envoyée en délégation à une importante conférence en ville.

Elle n'avait pas vraiment le temps ni l'envie de passer trois jours coincée dans un hôtel anonyme à débattre du caractère singulier d'espèces d'algues locales avec toute une tribu de laborantins barbus. Au fil des ans, Jen avait acquis suffisamment d'expérience pour savoir que ses pairs masculins étaient enclins aux débordements sitôt qu'ils sortaient en public avec des femmes en chair et en os. Jen en était certaine, voilà à quoi ils en arrivaient à force de passer trop de temps à tripoter d'innocentes anémones. L'enfermement dans les labos les rendait aussi fins et légers que des baleines.

C'était un sale vendredi prémenstruel. Toute la journée, elle s'était sentie boursoufflée, souffrante et boutonneuse, et elle avait passé son cours de travaux dirigés à gronder, intimidant assez ses étudiants pour qu'ils n'osent pas poser une seule question.

Quittant les lieux en trombe, elle avait ensuite fourré son sac de weekend dans le coffre de sa voiture et traversé la ville de l'humeur la plus massacrante qu'elle se soit jamais connue. Le fait que Gita ait réussi à lui dégotter pour deux nuits une chambre d'hôtel avec vue sur le lac ne suffisait pas à la mettre dans de meilleures dispositions.

— Putain de conférence, putain de gaspillage de mon *putain* de temps ! fulmina-t-elle en faisant une queue de poisson à une vieille Chinoise toute ratatinée au volant d'un tas de boue d'avant-guerre, et écrasant le champignon entre deux feux qui semblaient l'attendre pour passer au rouge.

Au moment où elle s'engageait sur le parking de l'hôtel, Jen se rappela brusquement qu'elle avait laissé son jeu de cartes de visite professionnelles sur le plan de travail.

— Nom de Dieu de merde ! hurla-t-elle en faisant demi-tour, avant de foncer sur la chaussée en coupant la route à toutes les voitures arrivant en sens inverse, pour s'arrêter vingt mètres plus loin à un autre feu rouge, dans un crissement de pneus.

Quand elle eut traversé les couloirs en râlant, fait claquer la porte du laboratoire contre le mur et attrapé les cartes de visite, des larmes lui brûlaient les yeux. Elle aurait mordu le premier individu qui aurait croisé son chemin.

— Oh, quel tas de conneries ! grogna-t-elle en repartant vers l'hôtel.

Transpirante, lasse, ne pensant qu'à la douche dont elle avait cruellement besoin et au raid qu'elle allait faire dans le mini-bar, elle se présenta à l'accueil pour remplir la fiche d'hôtel. Le comptoir épuré en acajou luisant était complètement gâché par un bizarre tube phosphorescent bleu. Jen se demanda si le néon était livré avec une barre de *pole dance* et des chaussures de pute.

Coupant court à ses divagations, la jeune réceptionniste faussement enthousiaste, dotée d'un teint parfait et d'une poitrine insolente, lui souhaita une bonne journée. L'espace d'un instant, Jen s'imagina avec bonheur lui plaquer la tronche sur le comptoir hideux.

— C'est ça, bougonna-t-elle en se dirigeant vers l'ascenseur.

La chambre était sidérante : une œuvre d'art minimaliste. Le lit était un grand carré de duvet blanc molletonné et d'oreillers bien rembourrés, une oasis au calme engageant où elle aurait rêvé de se laisser tomber sur-le-champ. Les murs aussi étaient blancs, avec des moulures en bois naturel. Il n'y avait presque rien dans cette chambre. L'éclairage et la penderie étaient nichés dans des renfoncements, il n'y avait pas de tableaux aux murs, mais des fleurs fraîchement coupées près du lit et sur le secrétaire austère. Jen regarda le groom arpenter la chambre à pas feutrés, poser son sac et déposer la clé sur le bureau. Sans un mot, il ouvrit complètement les stores de bois clair, inondant les lieux du rayonnement solaire que reflétait le lac, scintillant en ce début de soirée.

Jen prit pied sur le petit balcon, dont la balustrade était entrelacée de vigne produisant de minuscules fleurs jaunes. Soudain, elle se sentit infiniment lasse. De retour dans la chambre, elle retira ses chaussures, laissant ses pieds nus s'enfoncer dans l'épaisse moquette blanche. Puis elle donna un pourboire au garçon d'étage qui patientait, en lui commandant un double gin-tonic.

Le mini bar de la chambre était bien fourni, avec des truffes belges à la crème fraîche et plein de picole réjouissante. Quand sa commande arriva, la jeune femme l'emporta sur le balcon avec tous les chocolats qu'elle avait trouvés, posa les pieds sur la balustrade, remua les orteils au milieu des fleurs jaunes, et regarda le soleil s'évanouir furtivement.

Les teintes violacées du ciel l'apaisèrent, magiques, et lui firent oublier cette pénible journée. Sirotant son verre, elle prit connaissance du menu du dîner qui se trouvait dans son dossier de bienvenue au séminaire. Vu que c'était le ministère de l'Environnement suédois qui parrainait la conférence, les plats proposés étaient à base de poisson, de poisson, et encore de poisson. Seigneur, depuis quand les biologistes spécialisés dans les questions d'environnement ne mangeaient-ils que du poisson ? Bon, au moins tout ce poisson était-il accompagné, mariné ou assaisonné d'alcool, c'était déjà ça.

Vidant son verre, elle alla se doucher.

Comme elle ne s'attendait pas à devoir se mêler bien longtemps aux participants, elle laissa sa chevelure libre, optant pour un maquillage minimal. Elle mit un jean propre et sa chemise magique (dont l'unique bouton faisait toute la différence entre la Directrice d'Etudes Coincée et la Super Savante Branchée), se glissa dans ses talons hauts favoris, attrapa sa clé de chambre et sortit affronter le monde.

Elle était déjà bien attaquée au gin quand elle fit son apparition dans la principale salle de conférence, passant en revue les visages des participants, adressant un signe de tête à ceux qu'elle connaissait pour avoir régulièrement collaboré avec eux. Elle tenta d'atteindre le bar aussi vite que le lui permettait une pièce bondée d'universitaires en goguette (un « essaim de scientifiques empotés » aurait dit son soi-disant hilarant directeur d'études, lequel avait tout de même tenté de baptiser ses enfants d'après des variétés de limaces des mers.)

Alors que Jen envisageait le niveau de violence approprié pour s'approcher du bar, quelqu'un lui pinça les fesses. Elle fit volte-face, la main déjà prête à partir. Mais elle se retrouva nez à nez avec Gita, qui rigolait tellement qu'elle en titubait, que tous ses bijoux cliquetaient, et que sa perruque menaçait de se détacher.

— Gita, enfin ! s'écria Jen, sur le point de la gronder, avant de se raviser. Et puis, qu'est-ce qu'on s'en fout, soupira-t-elle. Tu es probablement la meilleure touche que j'aurai de tout le week-end... Si tu veux mon avis, c'est bien dommage de ne pas profiter d'une belle chambre d'hôtel comme ça...

Pour l'heure, il y avait plus important.

— Je n'ai pas de verre, terrible enfant. Remue-toi le popotin !

D'un signe du menton, Gita désigna le bar qu'on apercevait à peine par une petite trouée dans la masse grouillante. Jen s'exécuta et fendit la foule. Se retournant, elle demanda « Comme d'habitude ? » et Gita hocha vigoureusement la tête avec une grimace cocasse.

Quelques minutes plus tard, Jen revenait avec deux whiskies à l'eau remplis à ras bord. Gita prit le sien et s'apprêtait à boire lorsque son amie la prévint :

— Je serais prudente à ta place : il y a bien une demi-bouteille là-dedans.

Gita sourit.

— Tu me prends pour une amatrice, ou quoi ?

Elle avala une grande lampée qui ne fut d'abord suivie d'aucun effet. Puis, les yeux écarquillés, elle laissa échapper un son semblable à celui d'un aspirateur rencontrant une pièce de monnaie inattendue. Elle inhala sa gorgée autant qu'elle l'avala, s'étouffa, et crachota tandis que l'alcool lui brûlait l'arrière du nez.

Jen sirotait son verre.

— Je te l'avais bien dit…

Il s'avéra que Gita travaillait toute la soirée. Mais avec un gros clin d'œil, elle rappela qu'un de ses grands talents, c'était de savoir déléguer. Elle avait donc confié les affaires courantes à son assistante, précisant qu'elle souhaitait qu'on ne la dérange que si l'hôtel était en flammes, ou si Sean Connery arrivait à l'hôtel en demandant de la compagnie pour la nuit. Ainsi qu'elle l'avait souvent dit, si jamais elle tombait sur l'acteur, elle le séduirait en lui cuisinant un schnitzel de veau, « afin qu'il se sente trop lourd pour s'échapper », puis le « chevaucherait sans relâche comme pour remporter le Derby ! »

Elles traversèrent la salle, en s'informant mutuellement des derniers potins de la semaine. Mais le biper de Gita ne tarda pas à sonner, et celle-ci dut s'esquiver. Livrée à elle-même, Jen eut l'impression gênante d'attirer les regards. Elle décida qu'un autre verre s'imposait car en regagnant le bar, elle aurait moins l'impression d'être abandonnée. Quelques minutes plus tard, accoudée au comptoir, elle sirotait son gin en enfournant une poignée de noix de cajou. Ayant eu les yeux plus gros que le ventre, elle dut jouer de la langue pour parvenir à les mastiquer. Elle avait l'impression d'être le hamster du jardin d'enfants, avec sa frimousse si rebondie que ses bajoues menaçaient de se fendre en deux. C'est alors qu'une voix tonitruante et familière retentit derrière elle :

— Voyez-vous ça, si ce n'est pas ma préférée ! Encore à boire du *Jen* Tonic, hein ?

La jeune femme pivota pour montrer à son directeur d'études, l'hilarant docteur Henry Bannister, qu'elle était parfaitement incapable de lui répondre avec la bouche pleine de noix de cajou.

Quand elle vit ce qui se tenait à côté d'Henry, elle bredouilla quelque chose qui lui fit expulser une noix de cajou luisante de salive, laquelle vint se loger furtivement entre ses seins, tout au bord du soutien-gorge... Le temps s'arrêta. Jen avala sa bouchée entière, la faisant passer avec une lampée de gin. Elle s'étrangla aussitôt et tenta de simuler un petit rire, mais ses yeux larmoyants, son nez et sa gorge qui la brûlaient ne l'y aidèrent pas beaucoup.

Il lui fallut une bonne minute, mais elle se ressaisit suffisamment pour réaliser que la grande vision époustouflante qui se dressait devant elle était suffisamment *gentleman* pour faire l'effort de réprimer le rire qui le gagnait. Le regard insistant d'Henry qui fixait l'insolente noix de cajou n'échappa à aucun d'eux. Sans baisser les yeux, Jen délogea la gêneuse et la fit tomber par terre. Elle se demanda comment Gita aurait réagi en des circonstances aussi lamentables, mais se dit que son amie aurait probablement invité le demi-dieu à s'agenouiller pour repêcher la noix avec sa langue… Cette pensée la fit rougir. Le sel irritait sa peau.

— Bonjour, fit l'apparition. Navré de vous surprendre ainsi.

En entendant son accent, elle réalisa qu'il était avec l'agence de parrainage, et se livrait simplement aux présentations d'usage dans une réception.

Quelle première impression sensationnelle j'ai dû faire ! songea-t-elle avant de tendre la main, puis de se rappeler où elle venait de la fourrer… Trop tard.

— Jen Hollier, de l'université de Toronto. Je suis spécialisée en biologie environnementale, et je prépare une thèse à York. Je réalise également des études pour le comité consultatif écologique des parcs nationaux.

Oh, mon Dieu..., se dit-elle, *revoilà mon boniment bien rôdé d'entretien d'embauche...*

— Markus Olsson, répondit-il, mais tout le monde m'appelle Mac. Parlez-moi du travail du comité consultatif, ça semble intéressant.

Jen n'avait pas de réponse polie à cela. Néanmoins, elle pouvait bien assommer son interlocuteur avec son laïus habituel, du moment que ça lui donnait le loisir de le regarder longuement. Elle débita donc son discours bien huilé, aussi efficace aux soirées chic et aux conférences de presse qu'aux collectes de fonds, et plus généralement à chaque fois que quelqu'un se sentait obligé de lui demander pourquoi elle avait décidé de passer sa vie plongée jusqu'aux genoux dans un marais puant.

La mine réjouie, Henry décocha à Jen un sourire d'encouragement. Elle s'en doutait, elle n'avait pas fini d'entendre reparler du coup de la noix de cajou. Mais pour l'heure, elle s'en moquait.

Mac, quant à lui, n'avait qu'une envie : la faire parler. Il s'était presque porté volontaire pour la débarrasser de la noix indiscrète, mais s'était dit qu'il risquait de déclencher une crise d'apoplexie, ou d'essuyer un coup de poing.

À l'insu de Jen, il l'avait aperçue la veille par une fenêtre, au cours de l'une des amusantes mais très indiscrètes visites de l'université que proposait Henry. La désignant à travers la vitre, Henry avait lancé, « *Un de nos meilleurs spécimens... Une fille, figurez-vous ! Une espèce assez rare en nos locaux. Elle me fait toujours penser à ces poissons, vous savez, les petits qui ondulent et semblent vous écouter... Comment diable s'appellent-ils déjà ? Bref ! Jolies nageoires, pas vrai ?* »

Les yeux ronds, Mac avait feint d'être horrifié par ce commentaire déplacé.

« *Quoi ?!* »

« *Ces poissons...* », avait répété Henry, « *de jolies nageoires... Je ne me souviens plus de leur nom. L'espèce s'est éteinte, bien sûr. Ou le restera le temps qu'on collecte des fonds... Ha, ha !* »

Toute à son affaire, Jen avait continué à prendre en note les résultats de ses expériences. Henry avait proposé de faire les présentations, mais Mac avait décliné l'offre, afin, avait-il dit, de ne pas la déranger. En vérité, il était fatigué à cause du décalage horaire, ressentait le besoin urgent de prendre une douche, et était très surpris de tomber sur une jeune femme si jolie. Il avait expliqué à Henry qu'il la rencontrerait nécessairement à la conférence. Puis il avait prié pour l'y trouver, une fois qu'il se serait rasé, douché, et débarrassé de sa mauvaise mine. Au moins savait-il maintenant où débusquer la belle si jamais elle ne se montrait pas à la conférence.

Achevant son laïus, Jen remarqua que Mac ne l'écoutait pas vraiment.

— Fascinant, hein ? sourit-elle en relevant les yeux vers lui.

Il lui sourit à son tour, lui faisant tout oublier. Cette conférence stupide ne serait peut-être pas si affreuse, en fin de compte.

— Oui, reprit-il, souriant toujours, vous savez, je pense qu'il y a toutes sortes de choses que nous devrions faire ensemble… (Rougissant de plus belle, Jen ne rata rien du regard qui accompagna cette phrase.) Voici ma carte.

Ils s'échangèrent leurs cartes respectives. Mac retourna celle de Jen entre ses doigts sans la ranger tout de suite.

— Vous voudrez bien m'excuser, ajouta-t-il en s'adressant à elle et à Henry, je ne me ferai rembourser mes notes de frais que si je me mêle aux invités comme je suis censé le faire.

Sur ces mots, il s'éclipsa.

Jen le regarda s'éloigner. Henry but une gorgée de bière en commentant :

— Chic type… Intéressant. Collaborer pourrait être un plus pour le département.

Sirotant son verre, Jen acquiesça.

— Pas mal, le coup de la noix de cajou… Tu pourrais le refaire ?

— Fous-moi le camp, Henry !

Il fit un clin d'œil et s'éloigna. Écarlate, Jen battit en retraite dans les toilettes, impatiente de débarrasser sa peau du sel qui l'irritait et de voir si elle avait enfin développé un muscle qui, d'une simple contraction, lui donnerait un joli hâle, lui ferait perdre deux kilos, la doterait d'un joli teint, lui blanchirait les dents, et donnerait à sa chevelure l'air de sortir tout droit du salon de coiffure. Elle se prépara à une rude désillusion.

À son retour, elle sonda la salle du regard et repéra Mac à sa silhouette vigoureuse et bien bâtie, qui était en train de discuter avec un groupe de scientifiques. Elle s'attendait à éprouver de la jalousie de le voir accorder son attention à d'autres, mais en fait, elle savoura l'occasion de le couver tout à loisir des yeux sans se faire prendre. Estimant sa taille à un mètre quatre-vingt-dix environ, elle trouvait parfaitement à son goût ses cheveux blonds, ses yeux gris-bleu, sa peau respirant la santé et son large sourire. Il avait les ongles propres, des chaussures de qualité supérieure et, rien qu'à voir ses mains et ses dents, il était clair qu'il ne fumait pas. Jusque-là, il respectait en tout point son cahier des charges. En passant près d'elle, Henry avait répondu à quelques-unes de ses questions. Mac était originaire d'un coin au nom imprononçable, mais était actuellement basé à Stockholm, il avait 31 ans, et occupait ce poste depuis quatre ans. Elle le supposait hétérosexuel, et brûlait d'envie de savoir s'il était célibataire. Mais depuis qu'elle s'était aventurée sur le champ de mines des relations amoureuses, elle n'avait pas encore trouvé de façon subtile de poser la question.

Elle avait l'impression d'être redevenue adolescente, et se demandait que faire. À dix-huit ans, elle aurait couru se cacher, se réfugiant derrière Cassie. Bien qu'elle fût souvent perdante au bout du compte, c'était toujours Cassie qui lui arrangeait ses coups, que ça lui plaise ou non. Elle ne pouvait pas vraiment dire qu'elle le regrettait. En vérité, ainsi qu'elle se l'avoua à contrecœur, c'était grâce à cela qu'elle avait à peu près toujours échappé à toutes ces absurdités, ces rires bêtes et ces fausses pudeurs de sainte nitouche, ces suggestions hardies et scabreuses qui, avec Cassie, paraissaient aller de soi. Mais Cassie n'était pas là. C'était une bonne chose. Excepté qu'elle n'avait plus dix-huit ans, et qu'elle s'était toujours dit qu'à vingt-cinq, elle serait capable de se débrouiller seule. Mais en réalité, s'il était une chose que Jen redoutait, c'était bien la perspective de flirter en solo, désarmée.

La jeune femme savait que la soirée devait se terminer à bord du yacht affrété pour l'occasion, par une virée sur le lac arrosée de cocktails. Si Jen avait adoré le concept, elle ne s'était pas donné la peine de signer la feuille d'inscription, redoutant de se retrouver coincée entre une ribambelle d'universitaires assommants et un bar mal fourni. Elle se demanda si Mac serait de la fête, car dans ce cas, la perspective de ne pas le rejoindre lui parut intolérable.

Fonçant tout droit sur le staff administratif, elle expliqua précipitamment à Gita qu'elle venait de changer d'avis, tandis que son amie étudiait avec soin le dénommé Mac par-dessus son épaule.

— *Mama* Gita ne voit vraiment pas pourquoi tu veux tant y aller, chérie, badina-t-elle avec un sourire lascif.

Cela fit rougir Jen au point qu'elle avait l'impression d'être au bord de la fusion.

— Je sais, je sais… Je me comporte comme une adolescente écervelée, alors qu'à coup sûr, il vit dans un foutu chalet avec une Viking sculpturale qui lui a fait cinq adorables bambins blonds, qui lui cuisine des petits plats délicieux, qui est chirurgien-neurologue, qui taille des pipes divines, qui est une mère idéale, et qui a des fesses rondes et musclées de gymnaste confirmée, mais bon sang ! Ce genre de beau gosse ne tombe pas du ciel tous les jours !...

Jen se rappela qu'il fallait respirer pour vivre.

— Je dois aussi tâcher de lui faire oublier nos présentations, se plaignit-elle à Gita, qui venait de hausser un sourcil. Ah, Gita, pauvre de moi ! J'ai craché une noix de cajou dans mon soutien-gorge…

CHAPITRE 10

C'est donc cela que je mérite ?

Je mérite d'avoir le cœur brisé ? De me retrouver tout seul ? Abandonné ? Est-ce que je mérite de recevoir le plus précieux des trésors juste pour qu'on me l'arrache aussitôt ?

Shauna n'était pas plus tôt entrée dans ma vie qu'elle en sortit.

Durant le court laps de temps qu'on passa ensemble, j'avais eu la plus étrange des impressions... Il se tramait quelque chose. Pas entre nous, non, car notre relation me comblait, je connaissais la félicité... Mais je sentais... je ne sais pas... C'était comme si nos jours heureux étaient comptés. Comme si notre bonheur était voué à tourner à la tragédie. Une sensation des plus bizarres... que j'écartai, la prenant pour de l'insécurité passagère. Les tout premiers mois d'une nouvelle relation sont toujours comme ça, n'est-ce pas ? On devient hyper-prudent. Si on ne reçoit pas de coup de fil pendant trois jours, on commence à se dire qu'on a raté sa chance, que l'être élu a découvert qui on était réellement, et que ça l'a fait changer d'avis. Qu'il a mesuré la gravité de son erreur... C'était ce que je ressentais chaque fois que je l'appelais ou que je retournais la voir. J'étais sûr que la première chose qu'elle dirait en me voyant serait : « Il faut qu'on parle. »

Pendant des jours et des jours, j'hésitais à lui rendre une visite surprise au travail ou chez elle, mais chaque fois que je m'apprêtais à quitter la maison, j'étais étreint par un sentiment paranoïaque : elle allait me haïr si je faisais ça, ou bien je la découvrirais avec un autre, qui la méritait plus que moi.

À présent, je sais que l'univers entier se moquait de moi, tout simplement. Il me signifiait que je n'avais pas droit à ce bonheur, qu'il me laissait juste le temps de l'apprécier avant de m'en priver.

Je l'ai senti. Je l'ai compris.

Si j'avais jamais eu le sentiment d'être indigne, c'est devenu une certitude lorsque Shauna m'a été reprise.

Un acte gratuit. Un meurtre barbare. Un véritable monstre, qui court toujours...

Et moi, j'ai perdu mon âme-sœur.

J'étais dévasté. Je voulais mourir. Chaque souffle me coûtait. Au début, je n'arrivais même plus à bouger, à trouver l'énergie de manger, de me laver, de m'habiller... Il m'arrivait de passer quatre, voire cinq nuits blanches d'affilée.

Je gardais les rideaux tirés, ne quittant presque jamais la pièce où je restais affalé, apathique. Les rares occasions où je parvenais à retrouver un semblant d'énergie ou de motivation, cela semblait être suscité par la fureur qui montait en moi. Je sentais cette force qui me tyrannisait, et m'empêchait de dormir. Je pleurais. Je hurlais pour qu'elle me revienne. Je fis des serments à un Dieu auquel je ne crois pas, si seulement Il acceptait de me la rendre... Mais elle ne revint pas. Comment la vie pouvait-elle être aussi injuste ? J'étais abandonné. Comment pouvait-elle me faire ça ?

Chaque fois que je me sentais submergé, la solution était simple. Je me cognais le visage contre un mur jusqu'à l'évanouissement. Je pris l'habitude de me réveiller avec le front en compote, moucheté de sang séché. Ces jours-là, je me sentais calme, replié en moi-même, tranquille.

Je ne tardai pas à découvrir que la douleur physique était la seule chose susceptible de tirer mon esprit de sa léthargie. Je me mis à entailler des morceaux de ma chair, à provoquer des meurtrissures en frottant et grattant inlassablement des régions de ma peau. La meilleure zone, c'était encore la plante des pieds. Je m'armais d'une paire de petits ciseaux en argent pour écorcher l'endroit sensible, rougi et gonflé jusqu'à y avoir creusé un petit trou violet. Après, il me suffisait d'arracher de fines bandelettes de peau, le long des lèvres de la plaie, pour la faire saigner et aviver la douleur. Dans cet état, j'adorais marcher pieds nus à travers l'appartement, savourant les élancements que me provoquaient le poids de mon corps, les échardes ou les inégalités du sol. Je me sentais nourri par la souffrance. À moins d'en être passé par là soi-même, personne ne pourrait me comprendre. Nul ne le peut. Ma souffrance était unique en son genre.

Bientôt cependant, la douleur même ne suffit plus. Je le savais, il m'était impossible d'éprouver plus de haine, car il ne restait rien dont on puisse me priver. Je m'en rends compte, ma méthode pour affronter le destin était sauvage et brutale mais, comme le dirait le brave psy, chacun fait son deuil à sa façon. Ces méthodes-là me réussissaient. Pour un temps… Elles ne tardèrent pas à montrer leurs limites. Ma peine avait changé. J'avais maintenant besoin que ma douleur soit validée. Elle comme moi, il nous fallait un témoin.

Me préparer à quitter l'appartement ne fut pas une partie de plaisir. Je n'avais plus eu le moindre contact avec le monde extérieur depuis près de deux semaines. Je me dégotai des vêtements propres, mais n'eus pas le cœur de me laver avant de les passer. Le tissu clair de mes chaussettes était décoloré par les taches de sang et les moisissures collantes qui engorgeaient les fibres. Les dizaines de plaies ouvertes, de trous qui suppuraient, de surfaces de peau à vif dont mes pieds étaient constellés, me causèrent, au moment d'enfiler mes chaussures, une souffrance à laquelle je ne m'étais pas attendu. Le plaisir extatique, insoutenable, de l'épreuve me fit presque perdre contact avec la réalité.

Quand je réussis à tenir debout, je contemplai mon reflet dans le miroir de la salle de bains. J'avais les yeux injectés de sang, et de gros cernes noirs se détachaient avec netteté sur ma peau blafarde. J'avais une barbe de clochard, le cheveu gras, raide et terne. En partant, je sus que quiconque me verrait ainsi ne douterait pas d'avoir sous les yeux une âme en peine, un homme brisé par la douleur.

Au volant de ma voiture, je traversai la ville, grimaçant d'exquise douleur chaque fois que je devais appuyer sur la pédale, jusqu'à ce que je trouve enfin l'officine, choisie au hasard à partir d'une pub particulièrement racoleuse diffusée tard la nuit à la télé. La réceptionniste à la voix douce fit mine de ne pas remarquer l'odeur que je dégageais, et m'introduisit dans une pièce aux murs blancs. Le bureau et le mobilier étaient en bois sombre et patiné. À un mur pendaient quatre diplômes encadrés, à l'encre passée. Par-dessus le bureau, je serrai la main d'un homme d'âge mûr, et m'affalai sur un siège au cuir affaissé. Tout cet espace me paraissait déconnecté, sans rapport, comme si ce n'était pas vraiment réel. Je ne percevais même plus le brouhaha de la circulation, dehors. Fixant le docteur Howarth, j'attendis qu'il me dispense ses lumières.

Bien que sa plaque professionnelle se trouvât juste devant moi, il fit l'effort de se présenter dans les règles, ce que j'appréciai. Puis il me demanda comment j'allais.

— Comment je vais, à votre avis ? crachai-je.

Il ne réagit pas. Il me parla au contraire d'une voix lente et posée, débitant des paroles apaisantes sur un ton de professionnel qui laissait espérer des progrès réguliers, rapides. Il parlait, mais je me laissais distraire par le nœud familier, au fond de mes tripes, et le goût amer de la bile au fond de ma gorge.

En faisant un effort pour me concentrer sur ce qu'il disait, j'entendis :

— … le premier stade, c'est souvent le choc et le déni. Il est normal de se sentir isolé et en colère, même si c'est très perturbant, voire insupportable. Il est très important de se rappeler qu'il s'agit là d'une première étape sur le chemin de la convalescence. Vous pouvez vous attendre à franchir plusieurs stades, et si certains seront douloureux et difficiles, tous font partie d'un processus. Je serai là pour vous aider tout au long de ce chemin, et en temps voulu, vous accepterez mieux les choses. Votre vie continuera.

Fou de rage, la tête basse, je fixai mes mains. Il me parlait comme à un crétin d'adolescent que ses premières amours font dépérir ! Ce minable petit connard me débitait son laïus comme si j'étais le premier venu… De toute évidence, je m'étais planté en beauté. Je sentis des spasmes intérieurs me brûler, et le besoin impérieux de bondir sur mes pieds ravagés pour fuir de cet endroit. Je me levai sur des jambes molles et tremblantes, pesant de tout mon poids sur mes pieds blessés. Penché en avant, les mains sur les rebords du bureau, je repoussai la plaque du médecin.

— Avez-vous la moindre idée de ce par quoi j'en suis passé ? Et par quoi j'en passe encore ? Ma vie est… finie. Il ne reste rien. Elle était tout pour moi, vous comprenez ? VOUS COMPRENEZ ? Comment pourrais-je vivre sans elle ? Savez-vous seulement ce que ça fait, ou l'avez-vous lu dans vos bouquins, en vous disant qu'offrir votre épaule aux geignards vous permettrait de palper du fric facile ?

— Dans la vie, nous perdons tous quelqu'un, monsieur…

Howarth consulta ses notes à la recherche de mon dossier. Je réalisai soudain que je n'avais aucune idée du nom que j'avais pu donner en prenant rendez-vous. Je fis la sourde oreille à sa question en suspens.

— Quoi ? Vous croyez sérieusement que ma perte n'est en rien différente de celle des autres ? Vous pensiez vous contenter de me lire les instructions du manuel et d'attendre que je rejoigne le programme ? Je ne suis pas comme tout le monde ! Je suis différent. Tout cela est différent. C'est… pire. C'est… (Je cherchai en vain le juste mot tant j'étais hors de moi)… spécial ! Voilà, spécial… Et si ça vous échappe, alors je perds mon putain de temps !

Je m'écroulai de nouveau sur mon siège, luttant pour retrouver un souffle normal, n'en pouvant plus de cette douleur lancinante sous mes pieds. Je détournai les yeux du docteur Howarth, et regardai par la fenêtre le parc environnant, me remémorant soudain un dimanche où, adolescent, au premier soleil du printemps, j'étais resté toute la journée installé au pied d'un arbre. À l'époque, le monde entier paraissait peuplé de couples…

…Couples que j'enviais et haïssais à la fois. Bras dessus, bras dessous, les amoureux se bécotaient en marchant, savouraient des cornets de glace, tenaient des ballons ou des fleurs… C'était

répugnant. Mais pourtant, j'en avais tellement envie, que ça m'étouffait.

Alors que le soleil s'abîmait à l'horizon, les insectes devenant agressifs, j'étais parti voir ma grand-mère, et nous avions regardé la télé ensemble. Avec elle, on voyait toujours des programmes à l'eau de rose, où les amoureux s'aimaient dès l'enfance, se mariaient tôt, avaient des ribambelles de gamins, puis des petits-enfants et des arrière-petits-enfants... Même vieux, ils avaient l'air jeunes, et demeuraient follement épris l'un de l'autre... En vérité, j'adorais ces histoires. Et depuis que je suis assez grand pour y repenser, je voulais avoir quelqu'un à aimer aussi fort. Mais plus encore, je désirais être aimé aussi fort en retour.

Alors, j'attendais.

Ce n'est pas tant que j'aspirais au bonheur, c'était davantage. Je le désirais à un point tel, tellement plus que n'importe qui d'autre que j'en vins à réaliser une chose : il me faudrait peut-être attendre encore un peu avant d'avoir droit au grand amour. À quelque chose de spécial.

Et, aussi vite qu'elle était entrée dans ma vie, elle en avait disparu. Massacrée par un fou criminel. Mise en pièces. Renvoyée au néant.

Au lendemain de cette tragédie, tout ce que je fis, je le fis sans elle. Je respirais sans elle. Je mangeais, je pleurais et je me faisais du mal sans elle. Chaque fois que je rouvrais les yeux, il y avait un espace vide, là où elle aurait dû être. Je le sentais, comme si son absence me suivait pas à pas, partageant ce que mon existence était devenue. Plus je lui parlais, plus je l'implorais, je la suppliais de me revenir, plus je mesurais à quel point j'étais véritablement seul, et son silence ne tarda pas à me rendre ivre de rage, comme si même son âme m'abandonnait. Si seulement elle avait fait un peu plus d'efforts, elle aurait été là en chair et en os ! Il fallait croire que ma volonté n'était pas assez forte pour, à elle seule, la ramener à la vie.

Soudain, un détail me revint en tête.

Recentré, je tournai les yeux vers Howarth.

— Vous savez ce qui est bizarre ? Il y a des années, ma mère m'a dit que si j'avais été une fille, elle m'aurait baptisé Shauna. J'avais complètement oublié…

Hochant la tête, le docteur inscrivit une note sur son calepin. Pendant ce temps, je me levai et sortis. Je l'entendis me rappeler alors que je fermai la porte derrière moi.

Je fis la sourde oreille à la réceptionniste qui tentait aussi de me dire quelque chose, principalement parce que si j'ouvrais la bouche, je savais que tout ce que j'avais refoulé en moi reviendrait à la surface dans un cri irrépressible. Il fallait que je reste maître de moi-même. Mais je me sentais complètement déprécié. Ce crétin d'Howarth, non seulement il m'avait insulté, mais il avait manqué de respect à la mémoire de ma bien-aimée. L'ordure. Imaginer que mon chagrin puisse être si… ordinaire…

Mon âme soeur… Disparue. Et que pourrait m'apprendre un gros con diplômé en trifouillage de cerveau pour m'aider à continuer à vivre maintenant ? Je suis SEUL ! Elle m'a abandonné à mon sort. Ce n'est pas ce que j'avais prévu. Je ne mérite pas ça. Ce n'est pas ainsi que les choses devraient être.

Le déni ? Putain, je lui en foutrais moi, du déni !

CHAPITRE 11

La stéréo déversait en douceur les accords planants de Massive Attack. Un peu partout dans la pièce, des bougies brûlaient, et les filles étaient affalées parmi les reliefs d'une frénésie de biscuits apéritifs.

— Bon sang, Jen, ma vie amoureuse ressemble à une vieille ballade rock usée ! Et encore, dans le genre le plus nase. Pas celles sur lesquelles on peut au moins danser. Plutôt un truc du genre Cinderella, Poison ou Twisted Sister. Le morceau nullissime qui traîne sur une vieille compil', tellement insupportable que tu manques de te casser la gueule en te précipitant vers ta chaîne pour passer à la piste suivante ! Un de ces morceaux qui te font presque regretter les ballades de Meatloaf... Non, pire, un slow lamentable où tu te prends à verser une larme, avant de rougir de honte de la tête aux pieds...

Jen s'étouffa avec sa gorgée de vin en rigolant, puis se mit à avoir le hoquet.

Cassie continua de divaguer sur sa lancée.

— Tu vois, j'ai déjà vécu un tiers de la vie qui m'est allouée sur cette planète — à supposer bien sûr que je franchisse la ligne d'arrivée. Pendant le premier tiers, j'ai soigneusement gaspillé mon temps, et il y a fort à parier que durant le dernier, je ferai de même, la bave aux lèvres et les couches géantes en plus. Alors, le tiers du milieu... N'est-ce pas là que tout est censé se passer ? Après tout, j'ai un petit cœur fragile déjà couvert de cicatrices, raccommodé à coups de rustines, et qui tient encore en place grâce à des bouts de ficelle !

Ayant bien des fois vu son amie de pareille humeur, Jen la laissa continuer.

Cassie jeta un regard farouche par la fenêtre.

— Ah, saloperie, c'est la pleine lune... Ce doit être mon cycle lunaire qui parle... Ça expliquerait au moins pourquoi j'ai l'impression d'avoir des bouts de cervelle qui barbotent dans ma boîte crânienne en geignant...

Cassie marqua une pause.

— Allez, à toi de me dire maintenant qu'il existe quelque part l'homme idéal fait pour moi, que tout ira bien, que je ne finirai pas ma vie en vieille fille à moitié folle empestant le potage. Dis-moi qu'on ne me retrouvera pas morte sur le sol de ma cuisine à quatre-vingt piges, à demi dévorée par mes dix-neuf chats !

Sans attendre de réponse, Cassie se remit sur pied et s'en fut dans la cuisine en titubant, revenant avec une bouteille de rouge. Elle remplit de nouveau son verre, s'en envoya une gorgée, puis tendit la bouteille à son amie avant de retourner s'affaler sur son fauteuil.

— Regarde un peu l'avant-dernier..., gémit-elle. Bon, d'accord, il dessinait des trucs qui me faisaient poiler, mais en signe d'affection, il s'est aussi introduit par effraction dans mon immeuble pour déposer des plantes vénéneuses sur mon paillasson ! Et c'est le même type qui a composé en mon honneur un poème en seize vers dont il a roussi les bords, qu'il a roulé comme un parchemin et fourré dans une bouteille où mon nom était gravé sur cachet de cire... Du moins, reprit-elle après une pause, je suppose que c'était de la cire...

Jen rigola.

— Ouais, je me souviens de l'époque où tu venais à peine de le rencontrer, dit-elle avant de s'arrêter pour faire main basse sur une poignée de chips épicées. Tu me disais qu'il était vraiment marrant. Je me rappelle... Tu l'avais bien dit. Il te plaisait. Tu le trouvais mignon. Tu trouvais qu'il était différent des autres. Qu'il était sympa... C'est pour ça que tu te l'es fait sur le sol de la cuisine, tu te souviens ? Parce qu'il était sympa. Ou parce qu'il passait par là ? Je ne me souviens plus...

Jetant un regard noir à Jen par-dessus le bord de son verre, Cassie s'apprêtait à plaider sa cause quand son amie l'interrompit :

— Je pense que tu boudes parce que celui-là t'a laissé tomber le premier, et voilà le fond du problème, s'enhardit Jen que le vin rouge rendait toujours courageuse, jusqu'au moment où Cassie lui filait des beignes pour la mater ou lui lançait un truc à la tête. Tu veux toujours tout régenter. Et tu es une vraie garce.

Cassie lui balança tout ce qui lui tomba sous la main, c'est-à-dire deux bouchons, un coussin et la moitié du journal. À chaque fois, elle manqua sa cible.

Jen se contenta de sourire.

— Est-ce que c'est le bon moment pour t'annoncer que j'ai fait une rencontre ? demanda-t-elle.

— Tu veux dire, une rencontre avec un grand R ?

Jen hocha la tête.

— Je le crois. Si je me fourvoie, je suis prête à m'enivrer à mort.

Railleries, insultes et auto-apitoiement aussitôt oubliés, Cassie prit la bouteille, se pencha en avant et remplit le verre de Jen avant de remplir encore le sien à ras bord en exigeant de tout savoir.

— Tu promets de ne pas m'interrompre ?

— Promis.

— OK, je te la fais courte, histoire de ne pas abuser de ton dérisoire pouvoir de concentration. Je me rends à une conférence, j'y rencontre un organisateur, grand, blond, beau, sexy, suédois, je passe un week-end délicieux et…

— Hourra ! brailla Cassie en bondissant sur ses pieds, les bras étendus, pour lever de façon précaire son verre à la santé de Jen. Tu l'as fait ! Je suis si fière de toi ! Vive les aventures sans lendemain !

Là dessus, elle s'écroula par terre, glissant sur le rebord du divan.

Jen fut plutôt déconcertée par cette réaction, mais rien que d'avoir parlé de Mac, elle en était déjà moins affectée.

— Ce n'est probablement pas une aventure sans lendemain, rectifia-t-elle avec mauvaise humeur, car il a demandé son transfert et devrait être de retour d'ici deux ou trois mois, le temps que tous les papiers soient réglés.

Cassie la dévisagea.

— N'est-ce pas un peu précipité, tout ça ?

— Tout à fait, sourit Jen. Et c'est fantastique !

— Eh bien, tant mieux pour toi. Sincèrement, Jen, c'est fantastique. Je brûle déjà de le rencontrer.

Après le départ de Jen, Cassie ouvrit une troisième bouteille de vin qu'elle descendit à longs traits, recroquevillée à un bout du divan, et furibonde.

Elle s'était toujours attendue à être ravie pour Jen quand celle-ci tomberait amoureuse. Mais au regard de la succession de désastres qu'était sa propre vie privée, elle en blêmissait de colère.

Ça lui ressemblait bien, à Jen, de lui faire ce coup-là. Jen l'étudiante brillante, qui se nourrissait raisonnablement et avait une jolie peau... Jen qui jamais ne se biturait, ne couchait pas à droite et à gauche, en un mot qui ne s'éclatait jamais. Et voilà qu'elle se rendait dans une de ses foutues conférences, et que l'homme idéal lui tombait dans les bras ! Ce n'était pas juste.

— Pourquoi c'est toujours moi qui me ramasse les rebuts ? ragea-t-elle à voix haute. Pourquoi les sales histoires sont toujours pour moi ? Pourquoi est-ce moi qui ne peux pas trouver le sommeil si je ne suis pas ivre morte ?

Au cours des mois qui suivirent, ce qui n'était d'abord qu'un dépit passager se transforma en jalousie à peine voilée. Les mauvais jours, ce sentiment rendait Cassie amère et pleine de rancoeur à l'égard de la seule personne au monde qu'elle disait aimer.

Veiller sur elle n'avait rien d'une nouveauté pour Jen.

Peu après minuit, un soir, Jen était dans le taxi qui la ramenait du labo quand son portable avait sonné. Au bout du fil, Cassie, complètement soûle, criait si fort que Jen avait dû éloigner l'appareil de son oreille. L'histoire qui venait de lui arriver n'était pas très claire, mais le résultat était que Cassie se retrouvait aux urgences et lui demandait de venir la chercher pour la ramener chez elle.

Alors que le chauffeur effectuait un demi-tour pour se diriger vers l'hôpital, Jen avait jeté un coup d'œil nostalgique à sa maison. Une demi-heure plus tard, les deux jeunes femmes étaient réunies dans une des alcôves des urgences, les rideaux tirés. Et Jen, ensommeillée, faisait de son mieux pour s'abstraire des propos volubiles de Cassie, à qui l'on avait pourtant administré une bonne dose de sédatif.

— J'aurais choisi un soutien-gorge plus classe si j'avais su que je me retrouverais assise ici, à moitié à poil ! C'est vraiment nécessaire ? Je n'ai plus eu de maux de ventre depuis l'âge de 4 ans. J'ai froid. J'ai mal à la tête. Je veux rentrer chez moi. Où est passé ce gars ? Le mignon ? J'ai oublié son nom... Mais il était mignon, tu trouves pas ? Il allait me faire des trucs bizarres, marrants... Tu as froid ? Moi, j'ai froid. Comment tu l'aimes, mon soutif ?

Jen fixait Cassie, dont la peau semblait avoir pris la couleur d'un léger Chardonnay.

Et qui radotait.

— Je n'avais pas vraiment prévu que la soirée se termine comme ça, tu sais. La seule personne à m'avoir adressé la parole était une infirmière en rogne sous-payée... (elle haussa le ton, mortifiant Jen)... avec un regard de peste et des ronces à la place du cœur ! (Elle baissa la voix.) Apparemment, tout le monde sauf moi a droit à un peu de compassion... Il me faut davantage qu'une poche de glace et ces putains de tranquillisants pour rhinocéros ! (Elle se renfonça dans ses oreillers, le mouvement lui arrachant une grimace.) J'avais prévu quelque chose de plus drôle...

Elle fit la moue.

Se languissant de sa maison et de son lit, Jen hocha la tête (geste que sa propre gueule de bois lui fit aussitôt regretter), mais Cassie n'en avait pas fini. Inspirant à fond, la jeune femme poussa un long soupir théâtral.

— J'en ai marre, Jen, j'en ai vraiment ma claque ! Peut-être que Grand-mère a raison... Je resterai Cassie la solitaire pour toujours... Ma vie amoureuse n'est qu'une longue suite de loteries où je tire toujours le mauvais numéro. Et quand je rencontre quelqu'un de gentil dans des circonstances normales, eh bien, on me pousse et je m'effondre dans ce foutu miroir !

Jen lui décocha un regard qui aurait fait fondre l'acier.

— Comment ça, *on* te pousse ? Cassie, il y a toujours eu un miroir dans cette boîte de nuit ! Depuis son ouverture ! On a dû y aller un millier de fois ! Laisse-moi deviner... Tu as cru reconnaître quelqu'un et, impatiente, tu t'es précipitée pour lui parler, et tu as foncé tout droit dans ton propre reflet. Je me trompe ?

Cassie faillit la bouffer.

— Ça te va bien de dire ça, Miss Perfection qui assomme tout le monde ! cracha-t-elle. J'étais juste en train de rencontrer des mecs et j'ai été punie pour ça !

— Tu rencontrais des mecs ? Vraiment ? À t'entendre, tu n'es même pas fichue de te rencontrer toi-même sans que le sang coule !

Cassie allait répliquer, mais se ravisa.

— Grand-mère avait raison. Le Mauvais Œil me rattrapera. Je suis maudite. Mais qu'est-ce que je peux y faire ? Me résigner et me préparer au célibat dès maintenant ? Devenir marteau ? M'enfermer dans une tour ? Dépérir à vue d'œil, fixer le vide, brailler dans des pièces vides ? Faut-il que je pleure comme une madeleine, que je me laisse aller, que je passe mes soirées seule à regarder le feu dans la cheminée, que j'écrive des poèmes merdiques et que je hurle à la mort ?

Dans un soupir, Jen se radossa, s'efforçant de trouver une pose confortable sur sa chaise qui, de toute évidence, était conçue pour des gens déjà tordus.

— Tout cela à la fois ?

Elle bâilla.

— J'ai une liaison, annonça Cassie, soudain très calme.

— Mais c'est mer-veil-leux ! répondit Jen en prenant son meilleur accent juif-new-yorkais. Qui se charge du ravitaillement ?

Muette, Cassie se contenta de la regarder.

Riant, Jen leva les mains, mimant une reddition.

— Chérie, tu as toujours une liaison ou une autre sur le feu... Ou des rencontres. Ou des aventures. Enfin, appelle ça comme tu veux, selon ce qui conforte le mieux tes illusions. Alors, qu'y a-t-il d'extraordinaire cette fois ?

Cassie, qui s'était exercée à tout confesser à son vertueux miroir jumeau, s'aperçut avec stupéfaction que les mots lui manquaient. Elle fixa Jen. Et quand celle-ci croisa son regard, Cassie détourna la tête.

— Tu as vraiment une liaison ? Est-ce sérieux ? Dans quelle galère t'es-tu fourrée, cette fois ?

Jen avait pris un ton grinçant que Cassie n'était pas certaine de lui avoir déjà entendu, et elle baissa un peu plus les yeux, regrettant d'avoir commencé à s'épancher.

— Nom de nom, Cassie ! Il est marié ? Des enfants ? demanda Jen en la dévisageant, guettant une réponse qui ne vint pas. Ah non, cette fois… Cette fois, je ne céderai pas ! C'est mal et tu le sais. De toutes les façons, il faut y mettre un terme.

Penchée en avant, Jen tendit la main à Cassie, qui l'ignora.

Un ange passa.

Lentement, Cassie releva la tête.

— Bien sûr que c'est mal ! Tu crois que je ne le sais pas ? J'ai parfaitement conscience de ce qui est bien et de ce qui est mal. Pourtant, avec une expérience que tu n'auras même pas en rêve, je choisis de continuer malgré tout. Quel genre de personne ça fait de moi ?

Cette fois, ce fut Jen qui ouvrit la bouche pour répondre avant de se raviser. Cassie lui lança un regard accusateur.

— Tu vois, Jen, ce n'est pas que je ne sache pas me retenir. C'est juste que je ne le veux pas ! Je déteste la personne que je suis devenue. Mais… c'est chimique. Tout le monde se fait prendre, pas vrai ? Tout le monde paye. Je désire ce qui m'arrive, mais je ne veux pas en payer le prix. Est-ce la chose la plus puérile que tu aies jamais entendue ?

Les yeux rivés sur ses mains, Jen laissa passer quelques instants.

— C'est bien la première fois que je te vois exprimer des doutes sur ta façon de toujours prendre ce que tu veux sans tenir compte des autres, Cassie… Qu'y a-t-il de différent cette fois ?

Dans le silence qui suivit, elle crut soudain comprendre.

— Oh, Cassie ! C'est quelqu'un que je connais ?

Des larmes silencieuses roulant sur ses joues, Cassie soutint le regard de son amie pour répondre :

— Ce n'est pas Mac, si ça peut te rassurer.

Puis, elle n'eut plus la force de la regarder dans les yeux. Jen fut hors d'elle.

— Parce que ça rend la situation moins moche, peut-être ? Bon sang, Cassie, comment peux-tu faire ça à une autre femme ?

— J'essaie continuellement de rompre, je le jure ! Nous en parlons sans cesse. Moi en tout cas... Mais il y a un mois, je lui ai confié les clés de mon appartement. Quand je ne le vois pas, lorsque nous ne sommes pas dans la même pièce, ça va. Je peux passer des jours entiers sans repenser à lui. Mais dès qu'il est là… Jen, je t'assure, j'ai conscience que ça a l'air pathétique, mais chaque fois qu'il est présent, il faut que je l'aie !

Jen se leva et retira sa veste du dossier de la chaise.

— C'est *pathétique,* Cassie, répondit-elle d'une voix grave, s'adressant au rideau plutôt qu'à sa meilleure amie. J'espère que vous avez tous les deux bien préparé le baratin truffé de clichés que vous servirez à son épouse le jour où elle découvrira le pot-aux-roses. Tu es prête à bousiller la vie de leurs enfants rien que pour une stupide histoire de cœur ?

Elle se retourna enfin vers Cassie, qui se redressa en sursaut sur son lit, les yeux remplis d'éclairs.

— Stupide, Jen ? Mais va te faire foutre ! Qu'est-ce que tu connais à tout ça, à la fin ? Stupide ? Une stupide histoire de cœur ? Mais l'amour n'a strictement rien à voir là-dedans ! S'il s'agissait d'amour, nous ne passerions pas notre temps à mentir, à nous éclipser de notre travail en catimini, à gagner des endroits isolés en bagnole aux petites heures du jour ou à monter des rendez-professionnels bidon ! C'est juste une histoire de cul, d'accord ? Fais-moi confiance, il n'y a pas d'amour là-dedans... Ça finira bien par s'essouffler, va. Ou par éclater au grand jour. Mais pas encore, Miss Moralité. Pour l'instant, c'est sensationnel ! Le mensonge rend le sexe encore meilleur ! Nous nous envoyons sacrément en l'air, en parlant du moment où nous nous ferons prendre, car rien qu'à cette idée, on a encore plus le feu au cul... ! Alors parfois, tu réalises que tous ces bons moments qui ne t'appartiennent pas, il faudra bien un jour en payer le prix. Mais Jen, je peux te le jurer, c'est si facile d'oublier ses scrupules quand on baise !

Jen secoua lentement la tête. Elle n'avait rien à ajouter.

Affectée par le regard de son amie, Cassie se rallongea sur ses oreillers.

— Eh oui, Jen, je suppose qu'il a son petit discours de contrition tout prêt. Celui où il explique qu'il est désolé, qu'il n'a jamais voulu blesser sa famille, où il promet que c'est fini et bien fini, et qu'il n'aspire qu'à une seconde chance... Et quand il aura bien merdé, qu'il aura brisé la confiance qu'on lui accordait, il devra expliquer à ses gamins pourquoi leur foyer est devenu une zone de guerre, pourquoi leurs parents sont en larmes... Mais ce qu'il ne leur dira pas, c'est que, dans la dictature du quotidien et de leurs besoins, qui diable ne saisirait pas au bond une chance de passer une après-midi à baiser ? Un bon coup qui te fera te sentir plus vivant que n'importe quoi au monde ! Or, c'est *moi* ce bon coup !

Cassie ne s'adressait plus à son amie. Elle fixait un point dans le vide en grattant distraitement la peau déjà rougie du dos de ses mains.

— Alors, oui, je sais qu'il ne m'appartient pas, que je n'ai pas le droit de jouer avec lui, et je suppose que tu seras ravie d'apprendre que ça me rend malheureuse. Chaque fois que je m'en sens le courage, on en reparle. Mais bon, on est toujours nus, et c'est toujours après, jamais avant. Entre deux baisers, on se murmure nos regrets, on se reproche d'en avoir tellement envie alors que c'est mal ! Mais voilà, nous ne nous arrêtons pas. Naturellement, on sait qu'on va se faire prendre un jour ou l'autre, d'une façon stupide. Une connaissance nous verra ensemble. Ou bien il fera l'amour différemment à sa femme, et elle trouvera ça louche. Ou alors, il l'appellera par mon nom, il parlera dans son sommeil, enverra un SMS au mauvais numéro, ou sortira sans s'en rendre compte une de nos plaisanteries d'intimité. Alors viendront les reproches stéréotypés, les pleurs, la peine et les gens verront en moi ce que je suis réellement : une pute. Une briseuse de ménages. Une salope.

Le monologue de Cassie fascinait Jen. Elle ne l'avait encore jamais vue sous ce jour. Elle ne l'avait jamais perçue autrement que comme quelqu'un de blasé. Lorsque Cassie prononça le mot salope, Jen réalisa que c'était le mot qu'elle avait eu sur le bout de la langue tout au long de son discours.

Le regard presque implorant, Cassie la fixait.

— Jen, tout le monde se fait prendre. Je le sais. Tout le monde. Sauf moi. Je ne me fais jamais prendre. Mais cette fois, on dirait que je fais vraiment quelque chose de…

— … mal ?

La fougue de Cassie était presque retombée.

— Non, non, pas de mal. Enfin si, mais… C'est plus que ça. Quelque chose de… dangereux. Quand nous serons pris en flagrant délit, le pire qui puisse m'arriver, ce ne sera peut-être pas d'être traitée de salope, c'est plutôt ce qu'il restera de moi. Ou pas. C'est plutôt ça : ce qu'il ne restera *pas* de moi. Nous sommes morts depuis longtemps, et nous n'avons plus rien vers quoi nous tourner. Ni paradis, ni enfer, ni autre vie... Il n'y a pas de Jugement Dernier, ni de Dieu devant Lequel répondre de nos actes, ni de récompense ou de damnation, et tout ce qui me tourne dans la tête, c'est : putain, que la vie est courte ! Alors pourquoi s'arrêter ?

— Et tu te sens mieux, c'est ça ? Cassie, je suis fatiguée, je suis soûle, et j'en ai marre d'entendre tes jérémiades perpétuelles à propos des hommes ! Ce n'est pas un jeu.

— Je sais, fit Cassie, la mine presque repentante. Excepté que maintenant, j'ai conscience que je ne pourrai jamais avoir de relation digne de ce nom parce que je ne m'en sortirai pas, tu ne le vois pas ? Je serai cette femme qui ne sait pas. Je serai l'idiote. Alors pas question d'arrêter les frais, parce que c'est de cette façon seulement que je peux avoir quelqu'un dans ma vie. Même en sachant d'avance comment ça se terminera.

Cassie se rassit, les poings serrés enfoncés dans le matelas, le visage rouge et luisant de larmes, et son souffle rauque résonna dans le silence. Jen remonta la fermeture éclair de sa veste, prit son sac au bout du lit et lâcha :

— Alors, à toi de réécrire la fin de l'histoire, Cassie.

Comme elle se tournait pour partir, son amie revint à la charge, la voix basse et venimeuse :

— Attends, je sais... Je pourrais peut-être devenir comme toi, Jen, qu'en penses-tu ? Je resterais à la maison à étudier, je serais une bonne fille et tout le monde m'approuverait. Ce serait super, non ? Si seulement j'avais été assez maligne pour faire les choses à ta façon, Jen, je n'aurais jamais eu à prendre de risques, à avoir des aventures ou à affronter le monde toute seule car j'aurais gâché la moitié de ma vie à me cacher derrière mes amies comme seule une trouillarde moralisatrice en est capable. J'espère que la vue est belle, au moins, Jen, du haut de ton perchoir de donneuse de leçons...

Jen fit volte-face.

— Va au diable, Cassie ! Tu me racontes toutes ces conneries parce que tu sais que je serai folle de rage contre toi, et que c'est à peu près la seule conséquence que tu es prête à assumer ! Eh bien, je ne suis pas *sa* femme, et je ne t'aiderai pas à te sentir mieux en cédant devant ta petite confession. Qu'on te prenne pour une salope devrait t'inquiéter plus que ça, parce que c'est exactement ce que tu es !

Des larmes de colère lui brûlant les yeux, Jen repoussa le rideau et s'éloigna.

Pour Cassie, la dernière indignité de cette nuit-là, ce fut de demander à Kath de venir la chercher. Dans la voiture, elle avoua qu'elle s'était disputée avec son amie d'enfance, mais évidemment, elle passa certains détails sous silence. Dans sa version des faits, elle s'arrangea pour donner le mauvais rôle à Jen.

Kath ne fut pas dupe.

— Eh bien, je pense que tu devrais lui présenter des excuses.

— Pourquoi ça ? Elle me connaît bien, maintenant ! Je ne lui ferai pas d'excuses, pas question ! J'ai ma fierté, maman.

— Oui, chérie. Tu es aussi fière qu'une mule.

CHAPITRE 12

Je me suis rendu dans l'Illinois. Au départ, je ne devais qu'y passer, mais quelque chose, dans cet État, m'a incité à rester, à m'attarder une semaine ou deux, histoire de voir ce qui se passait.

Et c'est alors que je l'ai vue. Je faisais juste un tour en ville et soudain, elle était là, à attendre au passage piéton. À cause du soleil, elle plissait le front, une main en visière, histoire de vérifier si le signal était passé au vert. Je la vis baisser la tête et fouiller son sac à main à la recherche de son téléphone. Après avoir appuyé sur deux ou trois boutons, elle sourit, probablement à la lecture d'un message qu'elle avait reçu. Un joli sourire. Je sais que personne ne s'attendrait sérieusement à tomber sur la femme idéale juste comme ça, mais elle était là, sous mes yeux, et soudain, tout devint tellement limpide…

Je garai ma voiture, en riant aux éclats. Bon Dieu, comment croire qu'une solution aussi simple m'ait échappé si longtemps ? Tout ce temps, j'avais pris les choses par le mauvais bout, à l'envers ! Toute cette peine, cette déprime, ce dépérissement... Ça ne résoudrait rien, pas vrai ? Ça n'était pas productif. Se complaire dans l'auto-apitoiement, se lamenter que l'univers n'ait pas été plus délicat… Quel sombre idiot ! Des trucs moches arrivent tout le temps et, pour la première fois depuis des mois, j'ai compris clairement que je ne pouvais pas jauger ma vie à l'aune des déboires et déconvenues qui m'accablaient, mais plutôt à la façon dont je choisissais de gérer ces coups durs. Une fois que j'eus bien compris ça, tout devint si facile ! Comment avais-je pu manquer quelque chose d'aussi évident ?

Je baissai le miroir de courtoisie, me passai un petit coup de peigne, grattai d'un ongle mes dents tachées de caféine et souris à mon reflet.

Alors, bougre d'abruti, tu as compris cette fois ? me grondai-je en souriant. Tout ce que tu as à faire, c'est de trouver la femme idéale, et tout redeviendra comme avant…

Oui, je reprendrais tout depuis le moment où j'en étais resté avec Shauna. Ce serait parfait. Comme si rien ne s'était passé.

Je pris la carte routière de la région, sur le siège passager, et sortis aborder la femme idéale. Il ne me fallut pas plus de trois minutes pour la rattraper, lui faire un beau sourire et lui tendre la carte. Je prétendis être nouveau en ville, perdu, et la priai de me montrer où j'étais. Compatissante, elle éclata de rire. Me demanda mon nom. J'appréciai qu'elle se montre amicale. Si ouverte. Elle s'appelait Emily. Elle était un peu jeune, mais c'était tout à fait secondaire, vu qu'elle avait tout de mon idéal féminin. Mes plus beaux fantasmes faits femme.

Elle me laissa lui offrir un café. Deux ou trois jours plus tard, je l'emmenai au cinéma. À ses yeux, ça semblait déjà vouloir dire que nous sortions ensemble. J'avais tant à lui apprendre : ses magasins de prédilection, ses chansons favorites, ou ses plats préférés. Tout serait absolument parfait.

Du moins, ça l'aurait été, si elle m'avait laissé faire. Je ne sais vraiment pas pourquoi elle ne pouvait pas être celle que j'avais besoin qu'elle soit. C'était un peu comme de vouloir atteindre un joli coin de verdure qu'on aperçoit au loin, dans un parc, avant de se heurter à tout un tas de promeneurs, de sentiers, d'arbres, d'étangs et de collines qu'on n'avait pas pu voir plus tôt... On veut toujours y aller, mais plus il y a d'obstacles à franchir, plus la colère monte. Et finalement, le joli coin de verdure ne vous semble plus qu'un nid à emmerdes.

Vous voyez ce que je veux dire ?

J'aurais pu faire en sorte que tout soit parfait, pour nous deux. Mais avec elle, il n'y a pas eu moyen. Elle n'arrêtait pas de laisser de stupides détails tout gâcher, et moi, je n'arrêtais pas de déblayer le passage. Ça n'était pas aussi facile que ça aurait dû l'être.

Shauna n'était plus. J'avais déjà assez souffert. Qu'on imagine un peu ce que ça peut faire de voir son âme sœur brutalement massacrée... Qui n'en ressortirait pas brisé, fini ? Vous n'avez aucune idée de ce par quoi je suis passé, mais croyez-moi, ce n'est pas des choses dont on puisse espérer se remettre. C'est déjà assez moche de voir quelqu'un qu'on aime mourir de causes naturelles, au soir d'une vie bien remplie, comme je l'avais toujours espéré, comme dans une de ces belles histoires d'amour à la télé... Déjà comme ça, c'est dévastateur... Mais là, une perte aussi abrupte... cruelle... abominable... De cela, on ne revient jamais.

Moi, je n'ai pas pu. Non, je n'en suis pas revenu. Je méritais mieux.

Pour obturer complètement une trachée artère, il faut exercer une forte pression dessus. Trois fois plus qu'il n'en faut pour faire perdre conscience à quelqu'un. Et il est indispensable de la soutenir longtemps, bien plus longtemps qu'on ne le croirait. C'était beaucoup plus d'efforts ce que je ne m'étais préparé à fournir, et j'étais tellement impatient de passer à la suite, toujours en quête de ma femme idéale, qu'il me tardait simplement de régler mes comptes et de partir.

J'étais sincèrement navré que ça n'ait pas marché avec Emily, mais je me plais à croire que nous nous sommes séparés bons amis.

DEUXIÈME PARTIE

CHAPITRE 13

L'hiver fut précoce cette année-là, novembre amenant son cortège de ciels gris plomb et de lumière blafarde. À l'instar de sa population, la ville semblait s'être préparée au gel et à endurer quatre mois d'engourdissement. Décembre ne déçut pas, avec ses blizzards effrayants tombant d'un ciel cadavérique de l'aube au crépuscule.

Jen et Mac louaient un appartement en centre ville et, dans les transports de leur liaison toute fraîche, trouvaient encore du charme à tout et à n'importe quoi. Ils vivaient dans les cartons, et le fait que leur appartement de taille raisonnable ressemble à présent à un casier plein à craquer d'objets qui ne trouvaient pas leur place, ne les perturbait en aucune manière. Les amoureux s'étaient juré de dégager l'espace pour donner une fête d'avant-Noël, le 23 décembre, mais vu qu'il ne restait plus que quatre jours, cela semblait plutôt compromis.

Ce soir-là, Mac reçut sur son portable un appel dont Jen n'entendit que des bribes, à mesure qu'il déambulait dans l'appartement, se cognant un peu partout dans leur labyrinthe de cartons. Une dizaine de minutes plus tard, il poussa la porte de la salle à manger avec un grand sourire.

— C'était mon copain Paul. Ça fait une éternité que je ne l'ai pas vu ! Son vol a été annulé... expliqua-t-il en désignant le ciel obscur et menaçant. Et le pauvre vieux se retrouve dans un hôtel minable jusqu'à ce qu'ils puissent le recaser sur un autre vol. Je lui ai dit de ne pas être ridicule, et je l'ai invité à nous rejoindre pour les fêtes. J'espère que ça ne t'ennuie pas, chérie.

Comme ils le découvrirent tous deux plus tard, ce soir-là, la bonne étoile de Paul s'était présentée sous les traits d'une veuve viennoise excentrique. Ainsi que Paul l'expliqua à Jen, il savait que Mac revenait fréquemment à Toronto. Il s'était dit qu'il serait donc de bon conseil pour trouver un endroit correct où crécher, plutôt que de rester à se morfondre dans le trou à rats où l'avait abandonné la compagnie aérienne. La secrétaire particulière de Mac à Stockholm l'avait mis au courant des événements des six derniers mois et elle lui avait donné le nouveau numéro professionnel de Mac auquel, par un pur effet du hasard, Gita avait répondu. Au mépris de ce qu'elle appelait en riant les questions de confidentialité, Gita lui avait alors communiqué le numéro de portable de Mac sans hésiter une seconde.

Jen trouva Paul gentil et drôle et se réjouit de voir que Mac et lui étaient visiblement enchantés par ces retrouvailles imprévues. Ils tapèrent largement dans leurs réserves de bière, et se régalèrent de suffisamment d'anecdotes pour rattraper le temps perdu ces deux dernières années.

La première soirée donna le ton pour le restant des fêtes ; ils flemmardèrent dans l'appartement, se goinfrèrent et se soûlèrent. Paul raconta à Jen les terribles exploits de Mac, dans une version soigneusement édulcorée. Hochant la tête de temps à autre, Mac paraissait enchanté de se remémorer ces histoires, et Jen fut ravie que quelqu'un qui connaisse bien son chéri lui déballe certaines choses qu'il n'avouerait jamais lui-même.

En entendant une de ces histoires, Jen eut un éclat de rire soudain, et du vin chaud lui rejaillit par les narines avant de couler sur son jean.

— Tu as fait *quoi* ?!

— Merci, Paul, ironisa Mac, en haussant le sourcil.

S'étant assez reprise pour maîtriser son appendice nasal, la jeune femme rit de plus belle.

— Tu as balancé une femme…

— … à la poubelle, oui !

— C'est peut-être une question idiote, mais… *pourquoi ?*

— Nous l'avions rencontrée dans un bar, et je l'ai ramenée à la maison.

Jen hocha la tête, feignant de n'avoir aucun problème avec le fait que Mac ait pu avoir d'autres flirts — ce qui ne convainquait personne, et surtout pas elle.

— Ça suivait son chemin, continua-t-il, seulement elle me cassait souverainement les pieds. Elle voulait que je joue les flics et que je la mette en état d'arrestation, expliqua Mac, tandis que Paul, mort de rire, flanqua un petit coup de coude dans les côtes de Jen. Elle était un peu cinglée, et je me suis souvenu avoir déniché un rouleau de bande adhésive dans un chantier de construction, en rentrant à la maison la veille au soir. Je lui ai donc ligoté les mains avec et je l'ai portée au sous-sol de l'hôtel avant de la balancer dans la benne à ordures.

Jen voulait en savoir plus.

— Dans quel sens ? La benne était vide ? Bon sang, Mac, elle était chiante à ce point ?

— Ah, oui. Si tu veux savoir, je l'y ai fourrée les pieds en avant. Et dans une benne vide, juré !

— Elle était agaçante à quel point ?

— Eh bien, je l'ai jetée aux ordures, alors… à ton avis ?

Les garçons donnant les détails à tour de rôle, Jen finit par rassembler tous les morceaux de l'histoire. Une fois débarrassé de la nana, Mac était monté dans la chambre d'hôtel de Paul où ils avaient regardé les épreuves de qualification du Grand Prix à la télé et, en moins d'une heure, il avait reçu plus de 30 SMS et d'appels de la fille dans la benne.

De guerre lasse, il avait fini par redescendre la libérer. Evidemment, elle s'était montrée quelque peu contrariée.

— Le fin mot de l'histoire, dit Paul en riant, c'est que le lendemain au beau milieu d'une réunion d'actionnaires, son portable se met à vibrer et il reçoit un message d'elle : « *quand puis-je te revoir ?* »

Jen regarda Mac, qui se contenta de hausser les épaules en continuant à lui masser les pieds.

— Fais gaffe, ma petite demoiselle, badina-t-il, car tu pourrais aussi te retrouver à la poubelle…

Jen lui flanqua une grosse bourrade à l'épaule.

— Pas si je t'y jette le premier !

Ils traînèrent leurs guêtres deux ou trois jours, entonnèrent en chœur des versions scabreuses des chants de Noël, dormirent tard, visionnèrent de vieux films et profitèrent de ce qui avait tout d'un Noël de papier glacé.

Après un long dégel, Jen avait décidé qu'elle aimait beaucoup Paul, et se demandait ce qui se passerait quand il ferait enfin la connaissance de Cassie. Alors que Paul les écoutait discuter de Cassie un soir, il songea qu'une fille aussi dingue constituait une fréquentation dangereuse. Ce qui n'était pas forcément pour lui déplaire. Quand il l'exprima ainsi, Mac lui fit un clin d'œil, rétorquant qu'elle était « un délicieux problème, du moment que ton armure de preux chevalier est assez solide ». S'abstenant de tout commentaire, Jen se demanda si Cassie amènerait Gus avec elle à leur fête. Et si ce n'était pas le cas, Jen serait-elle censée la boucler une fois de plus et laisser Cassie dépasser les bornes ? Cette casse-pied se comportait comme une affamée devant un buffet froid, dévorant tout, absolument tout ce qui se trouvait à sa portée.

Deux jours avant la fête, ils se décidèrent à prendre le taureau par les cornes. Ils consacrèrent leur journée à empiler les cartons du sol au plafond dans tous les coins et recoins de l'appartement, tout en grignotant des restes chaque fois qu'ils repassaient par la cuisine. Ce soir-là, éreintés, effondrés sur le divan, les garçons firent du zapping tandis qu'à son tour, Jen préparait le repas. À quelques jours de Noël, cela signifiait qu'elle se pendait au téléphone afin d'obtenir la livraison chez eux de trois méga-pizzas avec tous les ingrédients possibles et imaginables.

De retour dans le salon, elle se percha sur le dossier du divan, décapsula une canette de bière et s'adressa aux deux hommes affalés devant la télé.

— Allez, dites-moi un peu comment vous vous êtes rencontrés…

Elle eut aussitôt un pincement de jalousie en les voyant échanger des coups d'œil complices. Il s'agissait manifestement de décider lequel d'entre eux servirait une version de la vérité qui n'attirerait pas de gros ennuis à Mac. Attrapant la télécommande, Paul coupa le son du téléviseur.

— Je m'étais rendu en Suède pour le boulot, commença-t-il, avant d'être interrompu par l'éclat de rire de Mac, qui s'était brusquement redressé.

— Tu étais allé en Suède parce qu'on t'avait parlé des saunas mixtes ! s'écria-t-il, l'index pointé sur Paul qui ne put s'empêcher de rougir.

Jen rit à son tour.

— Ça n'est pas désagréable, hein ?

Empourpré, Paul hocha la tête.

Mac prit la relève.

— Paul devait faire une présentation d'article, et j'étais censé m'occuper des convives. Mais une après-midi, je l'ai retrouvé au bar en train d'hésiter à commander un café alors que n'importe qui aurait pu voir qu'il avait envie d'un truc bien plus corsé, une boisson d'homme ! Je me suis dit, il est des nôtres ! Je lui ai donc offert une bière, nous avons bavardé et laissé un peu le boulot de côté… Le lendemain, il a dû faire sa présentation avec la pire gueule de bois de toute sa vie ! rigola-t-il, approuvé d'un hochement de tête par Paul, qui semblait vouloir disparaître dans un trou de souris. Alors, pour m'évader de cette conférence assommante, j'ai inventé une histoire de client en détresse, et nous nous sommes enfuis tous les deux !

Ils éclatèrent de rire, trinquant avec leurs bouteilles. Paul se rencogna dans le divan, ravi de laisser Mac, qui était visiblement doué pour ça, raconter leurs aventures.

La version de Mac était donc la suivante : ils s'étaient rendus dans une zone forestière, près d'une source thermale à ciel ouvert, avec l'intention de faire des mythiques saunas mixtes la destination de leur voyage. Ivres, ils avaient été pris d'une envie d'aller pêcher en pleine nuit. Ils avaient donc « emprunté » un petit canot à rames et gagné sans difficulté le centre du lac. Apparemment, la partie de pêche avait vite dégénéré en beuverie. Soûls comme des cochons, ils s'étaient penchés au-dessus de l'eau en demandant poliment aux poissons de bien vouloir se jeter eux-mêmes dans leurs filets.

Nageant tout nus au lever du jour, ils avaient introduit dans le sauna des bouteilles d'alcool fait maison, sans étiquette, probablement illicite et certainement mortel. Allongés dans leur glorieuse nudité, ils avaient attendu que de gentilles suédoises viennent les rejoindre.

Mac redevint soudain silencieux, ce qui ne lui ressemblait pas. Il échangea encore un regard avec Paul. Avalant une gorgée de bière, Paul sourit.

— Ouais… c'était un bon trip, ça…

Mac hocha la tête, l'air totalement absorbé par la lecture de l'étiquette de la bouteille qu'il avait dans les mains.

Il n'était guère difficile pour Jen d'imaginer ce qui s'était passé ensuite. Elle luttait de toutes ses forces pour empêcher des images douloureuses de se former dans son esprit. Mac tendit les bras pour l'attirer à lui et l'embrasser, ce qui ne lui laissa absolument aucun doute sur sa culpabilité et la suite de l'histoire. Il lui fit un sourire.

— Mon passé de mauvais garçon…

Elle lui flanqua un coup de poing au ventre, qu'il feignit de trouver douloureux, avant de l'enlacer en la serrant contre lui. Paul se concentra sur sa bière, espérant que la pointe de jalousie qu'il ressentait ne se lisait pas sur son visage.

Au même moment, Cassie bravait la foule pour faire ses courses de Noël en une seule journée, comme elle en avait l'habitude ridicule.

Après avoir quitté la maison un peu après 8 heures ce matin-là, elle avait parcouru la ville dans tous les sens, dans un marathon d'emplettes qui avait duré près de neuf heures. Aussi épuisant que cela ait pu s'avérer, elle avait réussi à prendre en chemin des clichés magnifiques qu'elle utiliserait tôt ou tard, et il ne lui restait plus qu'un cadeau à acheter. Mais elle savait où elle pourrait se le procurer le lendemain matin. Elle nargua silencieusement tous ceux qui s'étaient moqués d'elle et de sa manie de tout faire à la dernière minute.

De retour chez elle, Cassie survécut à une laborieuse montée d'escalier, et parvint à son étage en lâchant sans cérémonie tous ses paquets devant sa porte d'entrée. Adossée au mur, elle reprit son souffle en fouillant son sac à la recherche de ses clés, mais sa circulation sanguine prenait tout son temps pour revenir irriguer ses doigts, et elle jura à haute voix. Relevant les yeux, elle vit un homme qui frappait à la porte d'à-côté. Elle n'avait pas eu conscience que quelqu'un ait pu la suivre dans l'escalier. Elle observa le type avec attention. De haute taille, il portait un énorme chapeau en fourrure à rabats qui lui cachait le visage, et une barbe brune broussailleuse. Piétinant devant l'entrée, il s'apprêta à frapper encore.

— Personne ne va vous ouvrir, lui dit Cassie.

Le bras figé en l'air, il la dévisagea, puis se remit à cogner à la porte, plus fort. Cessant de chercher ses clés, Cassie se massa les doigts.

— Je ne rigole pas, sourit-elle. Personne ne va vous ouvrir. Vous faites partie du centre d'accueil pour les sans-abri ? demanda-t-elle, ayant avisé son insigne.

Il se contenta d'acquiescer.

— Qu'est-il arrivé à Davie ?

— Ah, à cause de ses genoux, il ne peut plus monter les marches. Il répond au téléphone maintenant, ça lui permet de rester assis toute la journée. Moi, je suis fort comme un bœuf ! Ils sont partis ? demanda-t-il en désignant la porte d'un signe de tête. Ils sont en vacances ? Si je repassais demain ?

— Non, l'appartement est vide. Il l'a toujours été depuis que je suis là. C'est malheureux, tout de même… Davie ne vous a rien dit ? Il détestait franchir cette porte, il préférait s'enfuir !

Amusée par ce souvenir, Cassie secoua la tête.

L'homme inclina la sienne.

— Comment ça, vous n'êtes vraiment pas au courant ? À mon arrivée, le propriétaire m'a prévenue que tous ceux à qui il avait voulu faire visiter cet appartement avaient refusé d'en franchir le seuil. Il prétend que les lieux sont hantés… Il s'agirait plutôt d'une bonne vieille fraude fiscale si vous voulez mon avis. Bref, un jour, il me l'a fait visiter à mon tour et il faut bien avouer qu'il y avait vraiment des vibrations négatives dans cet endroit… Il a fini par renoncer à le louer, et le transformer en remise. Mais moi, j'entends tout le temps de drôles de bruits là-dedans… Ça ressemble à des plaintes, des cris, des grincements de chaînes…

L'homme écarquilla les yeux.

— Je plaisante ! s'esclaffa Cassie. Je suppose que les appartements sont comme les gens. Des fois, ils grincent et ils soupirent.

— Comme les genoux de Davie ?

— Mais oui ! rit-elle. Exactement ! Quoi qu'il en soit, restez là, j'ai un sac plein pour vous, si toutefois j'arrive à entrer dans mon appartement.

Mettant enfin la main sur ses clefs au fond du sac, elle ouvrit en abandonnant ses emplettes sur le palier, et laissa la porte claquer sur ses talons. La vibration fit grincer des dents l'inconnu. Il l'entendit faire du raffut et râler dans son vestibule, puis elle réapparut, les joues roses, avec un sac de vieux vêtements et une lampe de bureau qu'il lui prit vivement des mains.

Alors que leurs doigts se touchaient, le type laissa échapper un petit rire aigu. Les yeux ronds, Cassie recula d'un pas.

Riant encore, il dit :

— J'ai dû avoir l'air sacrément bête, à frapper à cette porte alors que personne ne viendrait m'ouvrir, hein ?

Cassie se détendit.

— Ça peut arriver à tout le monde, sourit-elle en s'adossant au mur. Alors, c'est quand, votre prochaine collecte ?

— Oh, répondit-il lentement, le regard fuyant, en emballant ses dons dans de grands sacs à linge de nylon à rayures bleu blanc rouge, pas avant deux ou trois semaines, à mon avis… Début janvier, c'est une bonne période pour nous. Les cadeaux dont personne ne veut, ça ne manque pas…

— Génial, lâcha Cassie. Au boulot, nous sommes en train de faire un grand ménage, mais nous n'avons pas de refuge proche auquel adresser nos dons. Je vous apporterai tout ça.

— C'est généreux de votre part, fit l'homme en se remettant debout.

Il allait partir quand, hésitant, il se retourna.

— Hum… Pourrais-je vous demander une faveur ?

— Bien sûr, répondit Cassie en se redressant elle aussi avec son matériel photo, son trépied et sa dizaine de sacs de courses.

— Tous ces appartements sont-ils occupés ? Davie m'a juste donné l'adresse, sans me dire combien de locataires je pourrais trouver. Ça me ferait gagner du temps, vous voyez…

À l'exception de son précieux sac de matériel photo qu'elle passa en bandoulière, Cassie reposa de nouveau tous les autres. Et désigna le couloir.

— Il y a cinq appartements par étage, et ici trois sont occupés, un à chaque bout et le mien au milieu. Ça empêche l'immeuble de s'écrouler, badina-t-elle, s'attirant un regard inexpressif. La fraude fiscale hantée et cet appartement à côté du mien sont vacants. Pratique pour mettre la musique à fond : pas de voisins pour venir se plaindre ! Au-dessus, je pense que tout est plein, et l'étage encore au-dessus, quelqu'un a déménagé la semaine dernière, mais j'ignore si l'appartement libéré est de nouveau loué ou pas. Je vous conseille de jeter un coup d'œil aux boîtes aux lettres, pour repérer lesquelles ne sont pas vidées.

Hochant lentement la tête, le type la regarda et esquissa un grand sourire.

— Merci. Ça me simplifiera la tâche.

— Pas de problème, à bientôt.

Reprenant ses sacs dans le couloir sombre, Cassie laissa pour la seconde fois la porte de son appartement claquer sur ses talons.

Les yeux rivés sur la porte fermée, l'homme resta immobile, et un autre petit rire lui échappa. Puis il prit dans la poche de sa veste une clé qu'il inséra dans la serrure de l'appartement supposé hanté. Avec d'imperceptibles mouvements, il assura sa prise avant de tourner la clé, provoquant le clic quasi inaudible signifiant que la voie était libre.

En entrant, il s'empressa de fourrer la lampe et les vieux habits dans un carton ouvert, près de la porte, et de se frayer un passage parmi les caisses et les vieux cartons, jusqu'à la fenêtre qu'il trouva scellée par la peinture et la crasse. L'aération des lieux allait poser problème. Il ne trouva cependant pas de trace de souris ou de rats, et la chaleur filtrant des fondations et des appartements adjacents suffirait amplement. C'était parfait.

J'ai attendu une semaine avant de suivre le postier dans l'immeuble.

« Merci, mon pote. »

« Pas de problème. » Il m'a dévisagé. « Dites, vous êtes nouveau par ici ? »

Avec un petit sourire contrarié, j'ai secoué la tête.

« On m'a recollé au service de nuit après une pause de trois ans, ai-je expliqué. Ces horaires me tuent. Vous savez comment c'est… »

Il eut un rire plein de gentillesse.

« C'est certain ! Eh bien, reposez-vous surtout. J'essaierai de refermer en douceur en repartant ! »

Lui rendant son sourire, je gravis l'escalier, et demeurai à l'angle du palier quelques instants pour m'assurer que le couloir était vide. Puis je filai me glisser dans l'appartement vide.

Une fois la porte fermée et verrouillée derrière moi, je pus enfin me détendre. Je déposai ma veste et mon déjeuner emballé sur une caisse en bois près de l'entrée.

Pour commencer par le commencement, j'enjambai les débris poussiéreux jusqu'au mur du fond, et entrepris de me construire une cachette toute simple. Si j'étais découvert ici, ça ne poserait pas un gros problème. Ce ne serait pas la première fois que je jouerais les sans-abri, faibles et effrayés. Du moment que vous ne faites pas de mal, les gens vous laissent vous réfugier à peu près n'importe où. Ceci dit, le propriétaire n'était pas forcément un brave type. Je soulevai les cartons en douceur, séparant des piles de détritus et de camelote oubliés ici depuis des lustres pour me ménager un petit espace de repli avec deux ou trois housses de protection en guise de toit et de porte. Ça ne me prit pas longtemps, et une rapide inspection me rasséréna. Quiconque viendrait jeter un coup d'œil ne verrait rien d'anormal. Je laissai ma veste et mon en-cas pour plus tard, puis filai.

Ma petite enquête aux étages supérieurs me permit de vérifier rapidement les plaques nominales des portes d'entrée. Soulagé, je constatai que la plupart des étiquettes étaient faites manuellement, preuve que les occupants étaient des locataires. Seuls deux appartements, au dernier étage, avaient des plaques nominales dignes de ce nom.

Tout en furetant, je gardais à la main un paquet de formulaires du centre d'accueil, qui fournissaient des infos sur les dates de collecte, les attentes du centre en matière de dons, l'utilisation des fonds collectés… Je n'aurais pas pu rêver meilleure couverture.

Skirving attendait dans le hall d'entrée quand Cassie quitta son domicile ce matin-là. À son approche, il s'affaira à ramasser des prospectus et des journaux épars sur le sol.

En tournant à l'angle du couloir, Cassie leva les yeux et l'aperçut.

— Bonjour...

Skirving se garda bien de lui rappeler son nom.

— Bonjour, sourit-il. Vous en voulez ? C'est mon dernier...

Ce n'était pas mon dernier, c'était le seul.

Cassie prit le prospectus, jetant un coup d'œil à ce qui y était gribouillé à la main.

— Je les ai faits moi-même. J'ai pensé que ça pourrait aider les gens. Ça vous plaît ?

Cassie refoula un petit reniflement de dérision.

— Oh, oui, très joli... Et grâce à cela, je ne manquerai certainement pas votre prochaine collecte. Je vais l'épingler dans ma cuisine, de façon à ne pas oublier... Bonne idée que vous avez eue là ! dit-elle en brandissant le prospectus vers lui.

Elle agita une main par-dessus son épaule en continuant son chemin pour sortir dans le soleil hivernal. En atteignant le perron, elle se retourna et jeta un coup d'œil à Skirving, qui lui tournait le dos.

— Drôle de type ! marmonna-t-elle avant de dévaler les marches pour attraper son bus.

Cassie s'était raccrochée à toutes les excuses possibles pour éviter de passer les vacances à la maison. Mais sa mère avait su trouver les arguments qui feraient mouche.

« *Fais-le pour moi si tu ne le fais pas pour toi !* »

Et Cassie s'était inclinée. Dégonflée... Par tous les diables, comment réussir à dire non sans être dévorée par la culpabilité ?

Ce qui aggravait sa morosité, c'est qu'elle était attendue chez Jen pour un apéritif d'avant-Noël. Elle allait devoir admirer le couple idéal en train de jouer les hôtes parfaits avec leurs amis du lycée, de l'université et du travail. L'implosion de sa dernière aventure sans lendemain datait de la veille et Cassie, impatiente de quitter son appartement, était rentrée chez sa mère. Elle avait passé la première partie de la soirée à écluser une bouteille et demi d'un petit Merlot de derrière les fagots, tandis que Kat rendait visite à ses grand-mères. Elle redoutait déjà d'avoir à endurer une soirée de félicité domestique. Mac et Jen célébrant leur premier Noël ensemble, on aurait droit au décor neigeux, aux chants de Noël, au lait de poule et tout le tralala.

À peine arrivée chez Jen, elle avait déjà encaissé tout ce qu'elle pouvait supporter en matière de prix de l'immobilier, d'annonces de grossesses et de promotions professionnelles, avant que son hébétude commence à se dissiper. Consciente d'être d'une réserve inhabituelle, et peu désireuse d'en évoquer les raisons avec qui que ce soit, elle se réfugia dans la cuisine d'un pas lourd et bruyant, attaquant le vin chaud en regrettant de si bien correspondre à tous les clichés.

En avalant les deux ou trois premiers gobelets, elle repensa aux huit mois qu'elle avait passés avec Gus, et qui avaient pris fin de manière brutale moins de vingt-quatre heures plus tôt, quand il avait admis avec un soupçon de dépit qu'il ne pourrait pas passer Noël avec elle, parce qu'il était obligé de rester avec sa femme et leurs trois gosses. Dans la foulée, il lui avait demandé ce qu'elle faisait pour le nouvel an. C'est alors que Cassie lui avait jeté une casserole à la tête, réveillant le bébé d'une voisine, et l'avait pourchassé dans le hall et l'escalier jusqu'à la cour de devant en lui hurlant où il pouvait se carrer son nouvel an, en y ajoutant force détails. De retour chez elle, Cassie avait arraché le bouchon de la première bouteille venue et, dans un accès de lucidité, s'était déterminée à passer toutes les fêtes complètement pétée, l'objectif étant de refaire surface le 5 janvier affectée d'amnésie chronique.

Un projet comme un autre.

Les gens allaient et venaient pour se réapprovisionner en bières au frigo. Cassie se contentait de hocher la tête, gratifiant certaines connaissances d'un semblant de sourire. Elle finit par retourner dans le salon avec son cinquième gobelet du poison mortel concocté par Mac. Sous la lumière tamisée, la vision brouillée, ce fut alors qu'elle *le* vit. Pour être précis, elle crut en voir trois, mais en plissant les yeux, elle fut à peu près convaincue qu'il n'y en avait qu'un, même s'il semblait vibrer sur une fréquence jusque ici inconnue des êtres humains.

Quoi qu'il en soit, il était là et bien là, et très beau. Il titubait quelque peu. Avait-il été là depuis le début ? Son écran radar n'avait pas dû bien fonctionner.

Tu peux le faire, s'encouragea-t-elle.

Cassie commença à planifier le meilleur parcours pour contourner les meubles, le sapin, les caisses, les cadeaux et les invités, de façon à ne pas s'étaler de tout son long face contre terre. À travers ses brumes éthyliques, elle réalisa que même si elle se tirait sans dommage de ce parcours du combattant, elle ne serait probablement pas en mesure de formuler le moindre discours cohérent. Elle tenta de balbutier quelques mots, mais elle ne parvint pas à trouver son propre visage. Ses lèvres devaient pourtant bien se trouver quelque part par là… Avant de sortir, elle était certaine de les avoir encore vues, dans le miroir… Mais à présent… Qui savait où elles avaient bien pu passer ?

Timidement, elle remua sa langue ankylosée par l'alcool, cherchant à déterminer quelle forme avait pris sa bouche avec l'espoir de retrouver l'usage de la parole. Ça paraissait improbable. Elle commença à se dire que de s'envoyer un plein seau de vin chaud après une journée entière de beuverie, ça ressemblait plus à du suicide qu'à de l'ivrognerie.

Cassie entendit la voix de Jen, près d'elle.

— Tu es ivre ?

— Mmmh… Euh… bredouilla-t-elle en se tournant, et en écarquillant vainement les yeux. C'est que… euh… c'est que… répéta-t-elle en cherchant à retrouver ce qu'elle voulait dire une seconde plus tôt. C'est que… parfois, mon cœur se contrôle... un moment, et c'est… formidable... Mais mon cœur, il est… super-bête ! Et quand il bousille tout, c'est mon foie qui… prend la relève ! Qui répare tout. Tu comprends… ?

Jen avait compris.

— C'est fini ? Oh, bon sang, Cassie, pourquoi ne m'as-tu rien dit ? Qu'a-t-il donc pu se passer? Je pensais que tout allait bien entre vous…

L'auto-apitoiement lui faisant instantanément monter les larmes aux yeux, Cassie ne voulait à aucun prix qu'on la voie pleurer, même dans son état. S'arrêter lui avait coûté tant d'efforts que de s'abandonner de nouveau aux pleurs maintenant serait un échec supplémentaire que même elle ne supporterait plus.

— La femme et les trois gosses… Surpriiise !

Cassie agita une main dans ce qu'elle espérait être un geste délicat, urbain et insouciant. Dommage que ce soit celle qui tenait le gobelet… Au ralenti, elle vit une sorte de lame de fond (le vin chaud) s'envoler vers la nouvelle moquette de Jen… Elle tenta de la rattraper en reculant d'un pas, mais perdit l'équilibre et percuta l'angle de la table. Dans sa chute, elle se cogna la tête contre l'accoudoir du divan, tandis que le vin décrivait au-dessus d'elle un arc gracieux avant de venir inonder la table et tremper le sol comme s'il avait plu du vin.

— *Oooooh !* Putain de putain ! *Oooooh… !* Nom de Dieu, qu'est-ce qui vient de se passer… ? Je suis toute retournée…

Durant quelques instants, Cassie tenta vainement de se redresser et de s'appuyer sur un bras. Tandis que Jen l'aidait à s'asseoir, elle tira la langue pour palper le coin de sa bouche et goûter le liquide qui y perlait.

— C'est quoi… ? Ça a un drôle de goût…

— Du sang, répondit Jen, inquiète. Tu viens de te cogner la tête en tombant, tu n'as pas senti ?

Hilare, Mac se pencha par-dessus le dossier du divan.

— Allons, petite fêtarde, au lit, maintenant !

— Chut ! sourit Cassie. Ta petite amie va nous entendre…

Horrifiée, elle vit sa cible entrer dans son champ de vision. Il était vraiment très beau. Et elle était vraiment très soûle. Et pour couronner le tout, en sang, et le cul par terre.

— Je vais déjà déblayer le terrain, proposa-t-il en se mettant à essuyer le vin avec une serviette avant de repousser la table.

— Voilà qui est très digne..., fit Cassie en levant les yeux vers Jen.

Elle s'arrêta de parler, car elle était à nouveau prise de vertige. Elle lutta pour ne pas rendre ses deux litres de vin rouge.

Tous les trois la tirèrent, la poussèrent et la persuadèrent d'aller dans la chambre d'amis. Ils l'allongèrent sur le lit, Jen lui ôta ses souliers et la couvrit avec l'édredon pendant que les garçons quittaient la pièce. Mac fit une petite bourrade complice à Paul puis retourna à la fête. Dans ses derniers instants de lucidité, Cassie leva les yeux vers les trois visages du bel inconnu, et lâcha d'une voix pâteuse :

— Alors... je vous plais ou quoi... ?

Elle tenta de rire un petit peu, mais quand les larmes affluèrent, elle tourna le dos et sombra aussitôt dans le sommeil.

Cassie rêva qu'elle était assise en tailleur près d'un canal encaissé qui s'étendait à perte de vue dans les deux directions. En fait, elle se trouvait au milieu de trois canaux parallèles ; un pont, sur sa droite, les enjambait tous les trois. Ces canaux étaient si profonds et si larges qu'elle avait beau faire, elle ne voyait qu'eux. Dans son rêve, elle restait très sagement assise alors que, sur une berge distante, une dizaine de personnes étaient en train de la regarder. Personne ne bougeait, personne ne parlait. Ce fut alors qu'elle commença à ressentir une vibration, puis un bruit, un murmure d'abord, mais qui s'amplifia jusqu'à devenir un véritable rugissement, au point qu'elle se demanda s'il lui était jamais arrivé d'entendre d'autres sons. Ce tumulte provenait d'une eau noire qui s'engouffrait dans les canaux vides par millions de litres, sans jamais en déborder. Comme par magie, l'eau ne débordait jamais, et le courant passait près de Cassie dans un vrombissement extraordinaire. Près du pont, elle remarqua un homme qui lui tournait le dos. Sans un regard pour elle, il effectua un plongeon impeccable. Bondissant sur ses pieds, elle l'imita.

Dans la suite de son rêve, elle se retrouvait emportée au loin, ayant perdu toute notion de distance et de durée. Depuis quand était-elle dans l'eau ? À présent, elle se tenait sur une pierre blanche circulaire, au pied d'un escalier de fer forgé en colimaçon. Comme chez elle, il y avait cinq portes en bois peintes en vert. Elle les ouvrit tour à tour. Derrière chacune se tenait quelqu'un qu'elle croyait reconnaître mais qu'elle n'avait jamais vu, en réalité. Sa seule certitude, c'est qu'ils étaient tous morts. Chaque personne la salua avant de reprendre son activité. La première revint à sa lecture, la deuxième resta assise sur un seau métallique retourné, le regard dans le vide, la troisième se recroquevilla sur elle-même et s'assoupit, et la quatrième la scruta, cherchant à deviner ce qu'elle allait faire. La cinquième et dernière personne était un homme. Il quitta sa place et l'escorta dans l'escalier, jusque dans la rue où elle avait grandi. Sauf qu'il faisait toujours nuit, et que la chaussée était pavée. Une lumière vert sombre nimbait tout et, à côté d'un tas de vieux tuyaux et de fûts à l'abandon, il y avait une caravane de gitans sans cheval de trait. Dans la rue déserte, le seul être vivant était un tout petit singe assis à l'avant de la caravane. Elle sentit une légère poussée dans le dos, et retourna dans la maison. C'est alors qu'elle se réveilla.

C'était chaque fois à ce moment qu'elle se réveillait. Elle faisait souvent ce rêve, sans lui trouver le moindre sens. Il la laissait toujours mélancolique, troublée.

Ce furent la déshydratation et une vessie sur le point d'exploser qui la réveillèrent le lendemain, en début d'après-midi. Elle décolla sa langue de son palais, et demeura immobile pendant cinq bienheureuses secondes où elle ne se rappelait absolument rien. À la fenêtre, elle voyait la pointe sombre des conifères se découper sur la ligne grisâtre du ciel, et du grésil qui tombait de la lourde couverture nuageuse. C'était l'hiver qui…

Soudain, tout lui revint en mémoire.

— *Ooooh, non !* gémit-elle en se cachant sous l'édredon.

Mais l'édredon ne suffit pas, il ne lui apporta aucun réconfort. Dans la chaleur et l'ombre de son cocon de couvertures, elle grinça des dents à mesure que sa cervelle implacable lui restituait un à un les événements de la veille. En se remémorant ses derniers mots au bel inconnu, elle se redressa d'un geste brusque, et le regretta instantanément. La nausée la prit à la gorge, et son cœur entreprit de tambouriner à l'arrière de son crâne. Ses yeux se mirent à la brûler.

— Non, non, *non… !* implora-t-elle, tout en sachant qu'elle s'était bel et bien donnée en spectacle, et pas qu'un peu.

Fermant les yeux, elle prit une inspiration. Mauvaise idée. Rouvrant les paupières, elle tenta de se concentrer sur un motif de papier peint, en livrant une lutte acharnée pour ne pas perdre le contrôle de son estomac…

En repensant à l'ami de Mac, elle regretta de n'être pas morte. Encore raté, se lamenta-t-elle. Quelle abrutie elle faisait !

Elle rejeta l'édredon, et posa le pied par terre, cherchant du regard un miroir pour y affronter son reflet échevelé de poivrote.

Mais… où était passé *son visage ?*

Il fallut quelques minutes aux rares neurones fonctionnels qui lui restaient pour comprendre qu'on avait scotché un mot sur le miroir, juste à l'endroit où sa tête aurait dû se refléter.

Lentement, elle se leva et alla prendre le mot. Revenant s'asseoir, la respiration calme et posée, elle attendit pour être raisonnablement sûre qu'elle n'allait pas être malade. Puis, les yeux baissés, elle vit qu'il y avait quelque chose d'inscrit sur le papier, de véritables hiéroglyphes. Pour l'instant, le monde était un cauchemar en technicolor. Se frotter les yeux ne rendait pas moins opaques ses verres de contact. Elle finit par plonger les doigts dans le verre d'eau posé à son chevet pour s'asperger le coin des yeux, qu'elle fit cligner furieusement jusqu'à ce que les lettres cessent de swinguer et redeviennent intelligibles.

Sur le papier, il n'y avait qu'un seul mot : « *Oui* ». En dessous, on avait griffonné un numéro de téléphone et signé « *Paul* ». Elle contempla longuement le message, avant de le laisser tomber sur le lit. Revenant au miroir, elle vit qu'une marque violacée était apparue entre son oreille droite et son œil. Ne jamais s'approcher d'un divan sauvage sans équipement de sécurité, songea-t-elle. Elle fut touchée que Jen… (pourvu que ce soit bien elle !) ait nettoyé et pansé sa petite plaie. À se voir dans cet état, Cassie songea que même les pandas n'avaient pas de tels cernes noirs sous les yeux… Les vestiges de son maquillage évoquaient du Jackson Pollock, tout en contraste avec son teint grisâtre, et sa chevelure était coiffée dans le plus pur style savant fou. Elle dut admettre qu'elle s'était vraiment surpassée cette fois. Désignant son reflet, elle psalmodia :

— Je suis une déesse. Je mérite un homme qui m'entourera de son amour, me chérira et me respectera...

Elle se risqua à rire un peu, mais un nouvel accès de nausée l'arrêta net, et elle dut se forcer à déglutir vivement afin que le contenu de son estomac reste à sa place. Avec une toux écoeurée, elle se força à avaler de l'eau pour diluer le goût horrible qui lui était remonté dans la gorge.

— Salut, ma belle, lança Jen, sur le seuil de la porte. Alors, tu te sens mieux ?

— J'ai la tête dans le cul, chérie ! bafouilla Allie. Mais un rencard de politesse et de compassion, c'est toujours mieux que pas de rencard du tout, pas vrai ? ajouta-t-elle en agitant le petit mot devant sa meilleure amie.

Comme la station debout lui flanquait une nausée de tous les diables, Cassie rampa à quatre pattes vers la salle de bains et prit sa douche assise en tailleur dans la baignoire, laissant l'eau cascader sur son crâne, le temps que l'aspirine fasse son effet. Quand elle dut se remettre en position verticale, elle se cramponna aux murs, marmonnant des prières et des mots de contrition aux dieux qui pourraient l'entendre.

Elle sécha faiblement toutes les parties de son corps qu'elle pouvait atteindre sans devoir se plier, s'étirer ou bouger de façon inconsidérée puis, d'un pas prudent et circonspect, gagna la cuisine, soulagée de voir que Paul était parti faire des courses. Elle supporta les moqueries de Mac qui lui cuisinait une montagne de bacon et d'œufs. Impatiente de s'éclipser avant le retour de Paul, elle engloutit le tout, et trouva encore le temps d'avaler en sus deux bagels toastés au fromage, un bol énorme de café, trois verres de jus d'orange et pratiquement tout ce que le sapin comptait de confiseries.

Mac lui appela un taxi. Affalée à l'arrière pendant le bref trajet, elle respira par la bouche en massant son ventre sens dessus dessous.

En s'introduisant dans la maison de sa mère, elle entendit des éclats de rire en provenance du salon, puis Kath sortit à sa rencontre dans le hall.

— Sissy est là ! souffla-t-elle entre ses dents en traînant à moitié Cassie dans la cuisine. Elle a même apporté son propre xérès ! Chouette soirée ? demanda-t-elle en remarquant l'hématome et le pansement sur le visage de sa fille.

— Le divan m'a agressé, maman. C'est tout.

Kath, qui avait préparé une chambre d'amis pour deux au début des fêtes, eut la sagesse de ne pas demander de nouvelles de Gus, déduisant que son absence signifiait qu'il n'était pas si différent des autres, en dépit des protestations de sa fille. Elle le savait, les hommes ne tournaient jamais bien longtemps autour de Cassie avant de reprendre du champ. Mais la jeune femme, quand on la questionnait, était tellement sur la défensive que ça pouvait vous gâcher la journée — voire plus.

— Jen te passe le bonjour, dit Cassie en versant du café dans les tasses. Elle passera nous voir demain ou après-demain.

— Génial. Comment va Mac ?

— Ah, Maman, fit Cassie d'un ton aussi résigné que son humeur, le parfait Mac est plus parfait que jamais. Mais tu sais, c'est un peu comme le loto... Quand on connaît quelqu'un qui décroché le gros lot, on réalise que jamais on ne...

Dans le petit silence qui suivit, Kath chercha ses mots pour aborder un sujet dont, pas plus que sa fille, elle ne souhaitait parler. Elle tendit la main et lui caressa les cheveux.

— Bon, je dois y retourner… Sinon, Sissy va vider toute la pièce… Tu sais comment elle est ! glissa-t-elle à Cassie qui trouva la force de lui rendre son sourire. Mais s'il te plaît, pense à rendre visite à ta grand-mère pour le Nouvel An. Elle adorerait te revoir, tu sais.

Sirotant son café, Cassie étudia la possibilité de passer les fêtes chez sa grand-mère. C'était l'ultime refuge d'une célibataire : jouer aux filles et petites-filles aimantes et bien sages. L'ennui, c'était qu'elle souhaitait que l'année commence comme elle devrait continuer : selon son bon vouloir et non celui des autres. L'idée de se retrouver dans une vieille maison traversée de courants d'air, remplie de veuves, de vieilles filles baveuses et d'autres parents à moitié cinglés, l'horrifiait totalement.

Sans compter le reste. La famille au complet ne manquerait pas de l'interroger sur son célibat : pourquoi était-elle toujours seule, quand allait-elle enfin se ranger ? Cassie le savait, ce genre d'interrogatoire était parfaitement incompatible avec la sobriété, surtout si elle devait faire face à ses deux grand-tantes à la fois… À côté d'elles, une meute de chiens de chasse aurait semblé sympathique.

Florrie, la cadette du haut de ses quatre-vingt-six printemps, avait réponse à tout, mais malheureusement, dans un certain désordre. Avec elle, tenir une conversation — si du moins on pouvait appeler cela ainsi — revenait à vouloir assembler un puzzle dans le noir, les yeux bandés, sans savoir de quel motif il s'agissait et avec les deux mains liées dans le dos. Elle parlait toujours avec un sourire absent aux lèvres et des hochements de tête si réjouis qu'il fallait souvent aller repêcher son dentier à l'autre bout de la pièce.

— Aimeriez-vous un peu de soupe, Florrie ?

— Mon dos me fait encore souffrir. Le docteur me déconseille d'éternuer.

— Avez-vous pu sortir, cette semaine, Florrie ?

— Un doigt de xérès, si tu en prends avec moi... À titre purement médicinal, si tu vois ce que je veux dire...

— Comment aimez-vous votre thé, Florrie ?

— Tu vois, je le fourre dans le gros trou en espérant que ça ne tombera pas sitôt que j'aurai le dos tourné... ah, ah !

Et ainsi de suite.

La sœur aînée âgée de quatre-vingt-douze ans, l'indomptable Sissy, était sans conteste la plus frappadingue de toutes les grand-tantes frappadingues de Cassie. Enfant, elle avait été fascinée par l'œil gauche de Sissy, auquel elle trouvait l'air paresseux voire apathique, et qui semblait capable d'inspecter l'intérieur des oreilles de la vieille tante... Selon toute apparence, Sissy avait passé son adolescence à perfectionner ses penchants de kleptomane dans les plus beaux hôtels de l'Europe de l'Ouest. Désormais, elle était incapable de juguler sa petite araignée au plafond, au point que plus rien n'était à l'abri de ses larcins, à moins d'être cloué à sa place. Et encore. Son truc favori consistait à prendre sa serviette au dîner et, ne se croyant vue de personne, à la replier petit à petit, toujours plus près du rebord de la table. À chaque pli, la serviette accueillait un nouveau couvert, puis Sissy fourrait le tout dans son ample sac à main, avec force tintements. Elle faisait ensuite à l'assemblée familiale de grands sourires de psychopathe, persuadée qu'elle était l'as des braqueurs du troisième âge.

Lorsqu'elle était petite, c'était à Cassie qu'on confiait la mission d'aller récupérer l'argenterie familiale au fond du vaste sac à main de Sissy, lorsque celle-ci s'en éloignait pour aller aux toilettes ou se laver les mains.

Et que dire de sa bien-aimée grand-mère, qui, tout en lui tapotant le genou, lui répétait combien elle serait ravissante en blanc... Quand donc viendrait le prince charmant pour la plus belle des princesses ? Généralement, un long soupir suivait, ainsi que la traditionnelle leçon : « *Ça n'est pourtant pas si difficile de trouver un gentil garçon... Tu sais, tu n'es plus toute jeune, il serait grand temps que tu fondes une famille. Tu ne vas pas éternellement rester Cassie la solitaire...* »

Il n'était même pas pensable de se pointer une fois de plus toute seule pour les fêtes devant les trois donzelles. Sobre, en plus.

Cassie tournait et retournait le mot de Paul au fond de sa poche.

— Peut-être, maman. Je vais y réfléchir.

À cet instant, Sissy apparut sur le seuil de la cuisine, un énorme verre de xérès doux dans une main, un gros paquet de vieilles photos de famille dans l'autre.

— Mais quelle tête nous fais-tu là ! s'exclama-t-elle, souriante, en posant le paquet de photos pour pincer la joue de sa nièce. Notre Cassie la solitaire aurait-elle encore un chagrin d'amour ?

La jeune femme hésita entre rire, pleurer, et mettre une tarte à cette vieille garce.

— Putain, mais vous n'avez que ça à la bouche ! geignit-t-elle à voix basse avant de filer.

Il n'est aucune journée si mauvaise qu'elle ne puisse encore empirer…

Dans le jardin, elle refoula ses larmes, se demandant si elle avait le cœur brisé, si la honte l'accablait, si elle était folle de rage, ou les trois à la fois.

Enjambant la palissade, elle atterrit sur une roche humide, près de l'étang des Hollier. Avec une brindille, elle troubla la surface gélatineuse, et se demanda s'il lui restait une chance d'évoluer. Son histoire d'amour n'avait pas baigné dans le malheur, loin de là. Au niveau sexuel, ça avait été sublime, et puis elle s'était beaucoup amusée, en acceptant ces cadeaux magnifiques et ces invitations dans les grands hôtels… Peu soucieuse de moralité, elle avait croqué tout ce qu'on lui offrait à belles dents, et avait constaté que son travail devenait plus productif et créatif quand elle se comportait ainsi, en putain accomplie.

Pour Cassie, la logistique de la duplicité allait de soi, et la seule chose qui la troublait sincèrement, c'était que des affaires comme celle-ci, dans lesquelles il est si facile de se fourrer que c'en devient déprimant, étaient aussi invariablement des histoires qui finissaient mal. Cette liaison-là n'avait pas fait exception à la règle. Encore un homme établi dans une relation stable et durable… Encore un homme que tout son entourage considérait comme un modèle d'honnêteté et de fidélité. Encore un homme que tous prenaient pour un mari aimant et un père dévoué. Encore un homme qu'un simple sourire avait suffi à faire chavirer.

Elle le savait, il n'y avait qu'en se faisant prendre qu'elle se sentirait coupable. Mais voilà, ça semblait ne jamais devoir arriver. Cela ne lui inspirait que mépris pour toutes les personnes concernées. Les prises de risques les plus audacieuses, les plus extravagantes et égoïstes, au nez et à la barbe des épouses trahies, passaient comme une lettre à la poste. Ces femmes ne méritaient pas des partenaires aussi aimants, se disait Cassie. Chaque fois qu'elle entendait un homme affirmer à quel point il adorait sa femme et ses enfants, combien ils comptaient à ses yeux, elle le trouvait de moins en moins désirable. C'était toujours le commencement de la fin. Le propos sous jacent était si peu subtil que Cassie en restait comme deux ronds de flanc. Traduction de ces beaux discours : s'ils venaient à Cassie, c'était pour la baise. Elle faisait l'objet d'une flamme passagère appelée à vite disparaître, supplantée par quelque chose de plus profond et de plus sérieux. Le frisson adolescent, la came bon marché, la pute jetable après usage, histoire de rappeler à ces messieurs qu'ils pouvaient encore plaire. Elle était l'instrument de leur retour en arrière temporaire. Le rêve érotique inattendu d'un mardi après-midi assommant. Ça n'avait rien à voir avec elle. Sans doute, le fait qu'elle était jolie, qu'elle aimait flirter et qu'elle était finalement l'incarnation même de la fille facile n'était pas pour gâcher leur plaisir. Il leur était d'autant plus aisé de l'entraîner dans leurs propres fantasmes. Mais Cassie, elle, ne voyait toujours pas en quoi ces situations pouvaient lui bénéficier, en-dehors du frisson le plus superficiel.

Tôt ou tard, le « tout nouveau tout beau » prenait du plomb dans l'aile. Et en fin de compte, à force d'enchaîner les dépenses somptuaires et d'accumuler le stress, ou après avoir revisité entièrement la gamme des grands instants d'une relation, ils commençaient à s'enferrer dans une vie de couple et c'est alors que Cassie reprenait sa liberté. Au fil des expériences, elle avait à peu près tout entendu, depuis les promesses de divorce jusqu'aux menaces. Tout sonnait faux. C'était juste des façons de pimenter le jeu, de rendre les choses encore plus excitantes. Depuis le dialogue d'ouverture, le « *Non, non, je ne dois pas* ! » jusqu'au dégoulinant « *Mais je ne peux pas vivre sans toi !* », Cassie connaissait le script par cœur.

Pourtant, Gus avait changé les règles, et ce qui la rendait particulièrement folle de rage, c'est qu'elle aurait dû le voir venir en anticipant son petit manège. Mais elle avait été tellement prise dans le tourbillon de cette histoire qu'elle en était devenue vulnérable. Elle n'avait rien vu venir. Des semaines durant, la ville tout entière avait été enveloppée dans une nuée grisâtre d'où tombait la neige, sur les immeubles, les arbres et les gens. Il n'y avait rien à faire à part s'emmitoufler chaudement et sortir faire du patin à glace ou un tour de manège dans le parc, en riant à gorge déployée comme une gamine de six ans. Les rares bonnes soirées, ils revenaient chez Cassie, ôtaient leurs manteaux et leurs pulls et se pelotonnaient sur le divan. Des bougies et des guirlandes lumineuses scintillaient à toutes les fenêtres, tandis que le sapin de Noël ployait sous le poids des confiseries et des guirlandes. Pendant cette période, télé et presse bombardaient la jeune femme d'images d'Epinal figurant des couples enlacés surpris au coin du feu, pour qui les fêtes étaient l'occasion de s'aimer, de se consacrer du temps, de se faire des cadeaux et de boire du champagne.

Dans sa petite tête d'être esseulé, Cassie avait conscience d'avoir espéré que sa propre vie ressemble à ces images, en faisant purement et simplement abstraction du réel. Que croyait-elle donc ? Que pouvait-il arriver d'autre que ce qui était arrivé ? En réalité, elle ne se faisait pas tant d'illusions, et sans être vraiment attachée à ses amants, elle prenait plaisir à les inciter à abandonner femme et enfants pour elle. Il n'y avait rien de plus excitant que ce délire mégalo, quand ils étaient sur le point de tout lui sacrifier sans hésiter, et sans possibilité de revenir en arrière. Le flirt, le sexe, le jeu de la séduction, tout cela ne visait que cet objectif. Car dès qu'elle tenait ses amants à sa merci, dès qu'ils lui appartenaient corps et âme, elle ne leur trouvait plus aucun intérêt. Bien qu'elle se fût de moins en moins livrée à ce petit jeu depuis quelque temps, elle ne comptait plus les fois où elle avait laissé un de ses amants détruire quelque chose pour elle, avant de prendre son air chagrin, de pleurer et d'annoncer qu'elle était vraiment désolée, mais que ça ne pouvait plus continuer comme ça… Tant qu'elle était celle par qui la rupture arrivait, tant qu'elle seule décidait que tout était fini, en jouant l'atout de la moralité, elle dormait très bien la nuit. Et si tout échouait, elle pouvait alors devenir distante et froide, prétendre qu'ils n'avaient jamais compté à ses yeux, que leurs cadeaux et leurs égards ne valaient rien.

Ouais, songea-t-elle en grattant distraitement un glaçon récalcitrant dans se cheveux, *je suis vraiment une fille formidable.*

Le pire, dans tout ça, c'est qu'elle ne pouvait s'en prendre qu'à elle-même.

Une fois Cassie partie, Jen refit du café et quand Paul fut de retour, ils se postèrent tous les trois sur le seuil du salon, une tasse fumante à la main, pour contempler les ravages de la soirée.

— Pfff, soupira-t-elle, je déteste ça…

— *Mouais*, fit Mac en s'affalant sur le divan. Mais ça ne devrait pas te prendre trop longtemps, n'est-ce pas, ma chérie ?

Jen lui lança une boule de papier qu'il attrapa et posa sur la table basse. Souriant, il entreprit de collecter les débris disséminés à ses pieds. Paul alla à la cuisine chercher un sac poubelle et un plateau pendant que Jen regroupait les verres sales.

Il leur fallut une heure peut-être. Mac avait insisté pour se mettre en short et écouter « I Want To Break Free », de Queen, en passant l'aspirateur. Pendant que Jen, assise sur le divan, riait devant ses facéties, Paul sortit dans la cour arrière, histoire de profiter de la fraîcheur de fin d'après-midi. Il n'entendit pas Jen le rejoindre, mais fut ravi qu'elle lui apporte une couverture. Une fois qu'il s'en fut drapé les épaules, elle lui tendit une tasse de café.

— J'adore ce moment de la journée, dit-il. Le soleil se couche, mais c'est comme si le monde retenait sa respiration, repoussant autant les ténèbres que possible… Comme si quelqu'un pressait le bouton « pause »… Un don modeste des dieux pour nous permettre de souffler et d'essayer de comprendre un peu le monde…

Sirotant son café, Jen attendit la suite.

— Alors, c'est elle, Cassie… ? demanda-t-il d'une voix lente.

— Oui, répondit-elle, le regard rivé sur la rangée de sapins, à l'extrémité du champ qui s'étendait au loin.

Elle aurait voulu l'avertir que Cassie était foncièrement mauvaise, qu'elle ne s'attachait jamais réellement, qu'elle n'en faisait qu'à sa tête, qu'elle lui prendrait tout ce qu'il pourrait lui donner puis le plaquerait... Mais quelque chose, chez Paul, l'en dissuada. Il n'avait pas réagi face à Cassie de la même façon que les autres hommes.

— Est-ce que les chats nous aiment ? demanda-t-elle rêveusement.

Paul sourit et souffla sur son café, les mains serrées autour de la tasse.

— Je suis allergique aux chats, mais eux, ils n'en ont rien à faire... Ils ont toujours l'air de vouloir me dire quelque chose.

Jen se contenta de hocher la tête.

Paul allait reprendre la parole, mais hésita. Rouvrit la bouche... Jen patienta.

— Tu penses qu'elle m'appellera ? demanda-t-il enfin.

Jen eut un petit rire sardonique.

— Oh, ça... Tu peux compter dessus.

Le ciel était toujours parfaitement assorti au teint de Cassie, affligée de sa gueule de bois. Mais après une brève ondée, la neige avait cessé, comme si la gravité même exigeait trop d'efforts. La jeune femme emporta son café au fond du jardin, à l'arrière, et se jucha sur la branche la plus basse pour atteindre les vestiges de sa vieille cabane, dans les arbres.

— Merci, Papa, chuchota-t-elle en pressant les lèvres sur le mot « Cassie », qu'il avait gravé dans l'écorce.

Ramenant les genoux contre son torse, elle se tassa sur elle-même, les pieds en appui contre une branche basse. Jetant un coup d'œil en contrebas, elle tenta de se rappeler combien, autrefois, un mètre cinquante lui avait paru une hauteur vertigineuse. Quelle frayeur elle avait eue lorsque son père l'avait soulevée de ses épaules pour la déposer là-haut pour la première fois ! Elle avait ri pour faire la courageuse, tout en lui tendant les bras… Et il l'avait aussitôt reprise sur ses épaules. Evidemment, lorsque Jen avait fait sa connaissance, Cassie avait déjà pris le coup et grimpait se réfugier dans l'arbre sans la moindre hésitation. Elle secoua la tête avec un sourire triste, en se rappelant combien elle s'était montrée exécrable envers son amie, qu'elle traitait de poule mouillée parce qu'elle n'osait pas la rejoindre sur son perchoir…

Cette époque lui manquait. Celle où les journées se terminaient au fond d'un lit douillet, où on lui lisait une histoire avant de lui faire le plus doux des bisous. À présent, elle avait l'impression d'être embarquée sur un manège, que le forain, prenant ses cris pour des éclats de rire, faisait accélérer encore et encore. La machine, lui semblait-il, ne s'arrêterait pas toute seule, et tout cela ne prendrait fin que lorsqu'elle serait éjectée dans les airs.

Elle termina son café, reposa la tasse, souffla sur ses mains et les frotta l'une sur l'autre. Quand l'engourdissement eut finalement quitté ses doigts, elle prit son portable, la note de Paul et demeura assise ainsi, à contempler le ciel et la maison.

Elle envisagea d'aller se chercher une bière — juste un petit coup entièrement justifié, histoire de faire passer la gueule de bois — mais, dans un éclair de lucidité et un sursaut de maturité, elle se dit que rester sobre toute une journée ne lui ferait pas de mal. Et d'ailleurs, rien que de penser à l'alcool, son estomac se contractait déjà.

Elle déplia le petit mot de Paul, et trouva jolie son écriture.

— Pourvu que ce soit un être humain décent..., marmonna-t-elle tout en souhaitant ardemment que la femme et les gosses de Gus fassent de sa vie un enfer.

Elle composa le numéro.

Ça sonna une fois, deux, trois, quatre... cinq...

— Ah, Dieu merci ! soupira-t-elle, s'apprêtant à raccrocher, quand une voix douce répondit soudain :

— ... Paul, j'écoute.

Les cordes vocales de Cassie se figèrent instantanément.

— Allô ? C'est Cassie ?

Un petit couinement échappa à la jeune femme.

— Comment va ta gueule de bois ?

À son ton, elle devina qu'il souriait.

Elle prit une inspiration.

— Oh, elle se porte bien, merci... Tout comme l'embarras, la honte et les bleus...

Il éclata de rire. Toute seule sur son arbre, Cassie se surprit à sourire rien qu'à l'entendre.

— Donc, hum... bafouilla-t-il un peu. Pourrais-je... t'inviter à dîner ?

— Ça dépend ! répliqua-t-elle, aussitôt sur la défensive. Es-tu marié ? As-tu assez de gamins pour remplir un minibus ? Est-ce que des régiments de strip-teaseuses t'appellent par ton prénom ? Que fait ton petit ami dans la vie ? Quelles sont tes perspectives d'avenir ? T'arrive-t-il de porter les sous-vêtements de ta mère ? Pourquoi as-tu fait de la prison ? Aimes-tu le hockey plus que les femmes ? Es-tu membre d'une secte ? Habites-tu toujours dans le sous-sol de la maison de tes parents ? As-tu... ?

Il l'interrompit dès qu'elle fit une pause pour reprendre son souffle.

— Relax, Cassandra, il s'agit juste d'un dîner.

Cassie se hérissa.

— Jen t'a dit de ne jamais m'appeler comme ça, n'est-ce pas ?

— Dès que tu me connaîtras un peu mieux, tu verras que je fais rarement ce qu'on me dit de faire…

— Juste un dîner ?

— Juste un dîner, répéta-t-il d'une voix douce.

— Quoi… pas de partie de jambes en l'air ?

CHAPITRE 14

Chaque fois qu'il y a du désordre dans votre vie, tout le monde vous conseille de passer à autre chose. C'est donc ce que j'ai fait. Direction plein nord, avec escale sur la côte est, tout près de Washington.

L'épisode avec Emily m'avait rendu espoir. Je me sentais de nouveau confiant et, maintenant plus que jamais, je voulais tenter ma chance. Je brûlais de faire mes preuves. À présent, j'étais certain que la femme idéale m'apporterait le salut. La rédemption. L'Ascension.

J'effectuai des travaux manuels pour mettre un peu d'argent de côté, traînai quelque temps... Le plus souvent, je flânais en voiture, histoire de voir ce qu'il y avait à voir.

Et après deux ou trois semaines, je vis... Rachel. Chaque jour, je croisais deux ou trois filles que je trouvais assez semblables à Emily, mais avec Rachel, c'était plus que ça. Bien sûr, elle m'a vraiment tapé dans l'œil, et je suis resté sur le parking, mon moteur tournant au ralenti, pour mieux la regarder. Mais lorsqu'elle est sortie du magasin, elle a tourné à gauche et au même instant, la flèche du feu de signalisation s'est mise à clignoter vers la gauche, de sorte que j'ai pu la suivre au pas. Cette flèche, c'était un signe ! C'est à ce moment-là que j'ai su.

Je l'ai suivie jusque chez elle, puis j'ai laissé la voiture sur le parking d'un supermarché, un pâté de maisons plus loin. Une boîte à outils à la main, je suis allé fureter du côté de son immeuble. Pauvre Rachel... Aussi solitaire que moi, toute seule dans une vieille bâtisse croulante... Je dus attendre de la voir à sa fenêtre pour repérer son appartement, avant de monter frapper à sa porte, et d'expliquer que le gérant de l'immeuble en copropriété avait engagé mes services pour effectuer des réparations. Que j'étais là pour la dépanner, faire tout ce qu'il y avait à faire. Elle est d'abord restée sur ses gardes. Mais quand sa chatte s'est ramenée à la porte à pas feutrés et s'est mise à faire le dos rond en miaulant et en se frottant à mes chevilles, elle m'a dit que si Tabitha m'appréciait, je ne pouvais pas être totalement mauvais...

Il s'avéra que son appartement avait vraiment besoin de quelques interventions. Petit veinard que je suis, je sais me débrouiller pour ce genre de trucs. Les femmes sont toujours tellement ravies de trouver un type qui soit un tant soit peu bricoleur.

Rachel et moi devînmes amis. Les choses n'ayant pas si bien marché la dernière fois, je redoublai de prudence. Je savais déjà que nous étions faits l'un pour l'autre, mais j'avais maintenant appris à ne pas me précipiter, à y aller doucement.

Le problème avec Emily, en définitive, c'est qu'elle ne comprenait pas que certaines vérités sont bonnes à entendre. La pire des journées peut soudain être effacée quand quelqu'un trouve les mots justes. Parfois, vous avez simplement besoin d'entendre certains trucs pour vous sentir apprécié. Emily semblait penser que c'était un jeu, et chaque fois que je m'efforçais de l'inciter à dire quelque chose, elle reculait, comme si me faire lanterner était drôle. Cette fois, je me suis dit que ce problème-là devait être réglé en priorité.

Au début, tout était chouette, impeccable. Je pouvais faire une remarque, et Rachel me répondait juste ce qu'il fallait. J'adorais quand ça marchait aussi bien. Je me suis même amusé à voir jusqu'où je pouvais pousser l'expérience. Rachel réagissait assez bien, mais il est vrai que je lui plaisais beaucoup. Ça aidait.

Après un moment, j'ai dû vouloir en entendre trop, trop vite... Pourtant, ce n'est pas ma faute. Tout le monde aurait réagi pareil à ma place. Ça se passait si bien, je tenais à ce que tout soit parfait. Bref, j'ai dû en faire trop, je crois. J'ai toujours été trop impulsif. Si je pense à quelque chose de bien, il faut que je l'aie sur-le-champ. L'attente ôte son charme à tout.

Eh bien, la situation est devenue totalement imprévisible. Même avec les encouragements les moins subtils, elle débitait des trucs ridicules et hors de propos. Elle ne réagissait plus à ce qui aurait dû être des stimulations infaillibles. De toute évidence, elle ne prenait pas notre relation au sérieux.

Difficile de juger quelle dose exacte sera mortelle. Les gens sont tous différents, n'est-ce pas ?

Bref, quand il devint indéniable que ça n'allait pas comme je le désirais, je compris qu'elle ne me laissait plus tellement le choix. Je sus que ma prochaine femme idéale me demanderait plus de temps et de réflexion si je voulais que tout soit parfait. Il me fallait donc tout recommencer au plus vite.

Rachel m'invita à repasser la voir une après-midi, afin que je l'aide à nettoyer son jardin, dans sa petite cour. Je suis arrivé avec une bouteille de milk-shake fait maison en guide de cadeau.

Il faisait chaud ce jour-là ; le boulot était répétitif et pénible pour le dos. Ça ne me gênait pas. Ce serait une journée tout à fait spéciale. Il nous fallut quelques heures à peine pour enlever les détritus et désherber. Elle paraissait si heureuse, que j'ai presque regretté que tout doive si mal se terminer pour elle.

De retour dans l'appartement, j'ai sorti la bouteille de milk-shake du frigo et je l'ai entièrement vidée dans son verre.

— Tu n'en prends pas ?

Je lui ai souri.

— Je ne peux pas, à cause de mon allergie aux fraises. Mais je sais que tu adores.

Elle rougit un peu. Elle était mignonne avec le rose aux joues. Je sortis une autre petite bouteille de mon sac.

— Je m'en suis fait un à la mangue. À ta santé !

Nous bûmes tous les deux.

Elle fit un peu la grimace, au début. Riant, je la rassurai en douceur.

— C'est l'ingrédient secret de ma grand-mère… Elle jure que ça protège du rhume des foins.

Le sourire aux lèvres, Rachel avala deux autres grandes gorgées. Son verre était quasiment vide.

— Ma grand-mère avait…

Sa voix mourut brusquement. Son visage prit une teinte étrange. Je m'approchai à temps pour rattraper le verre qui glissa de ses doigts soudain engourdis.

Et je la regardai s'effondrer, les jambes toutes molles comme si ses os venaient de fondre.

Je la contournai, prenant soin de ne plus avoir le moindre contact avec elle. Une lueur traversa ses yeux tandis que sa conscience s'évanouissait, puis ils roulèrent dans leurs orbites et son corps fut pris de spasmes.

Rachel…

Il est extrêmement fâcheux de voir combien quelqu'un qui paraissait si parfait peut se révéler inadéquat…

Pauvre Rachel.

Je lui avais mis la dose à cette salope.

Je m'attardai, histoire de m'assurer qu'elle en avait ingéré suffisamment pour y rester à coup sûr. Je la vis se mordre la langue au point de la réduire en bouillie. Une mousse écarlate pleine de petits lambeaux de chair se mit à écumer au coin de sa bouche distordue. Son corps était secoué de convulsions grotesques, comme une marionnette entre les mains d'un enfant maladroit. Je n'aurais pas pu la faire se tordre davantage si je lui avais infligé des chocs électriques.

Après ça, de toute façon, si elle ne se noyait pas dans son propre sang, elle ne ressortirait jamais du coma. En définitive, je ne sus jamais quel sort fut le sien, car j'avais un bus Greyhound à prendre.

CHAPITRE 15

Cassie décida qu'il était grand-temps de se montrer au bureau. Elle n'avait plus le choix. De toute manière, elle n'avait plus de café, ni d'agrafes, ni de papier toilette.

Travailler à domicile l'avait rendue paresseuse, et malgré sa ferme intention d'être à pied d'œuvre le plus tôt possible — c'est à dire vers dix heures du matin — , il était déjà onze heures passées lorsqu'elle eut fini de mettre en ordre son bureau encombré de multiples piles de documents.

Elle passa la matinée, ou ce qu'il en restait, à polémiquer avec son boss Gordon, à boire trop de café, et à trop flirter avec le personnel masculin. Elle déclina plusieurs invitations à déjeuner. Seule dans le bureau à l'heure de la pause, elle aurait tout le temps de piocher dans les stocks de fournitures pour réapprovisionner sa cuisine, son bureau et la salle de bains de son petit appartement.

À 13 heures, elle se retrouvait seule dans les locaux avec Pam, une intérimaire colérique, et son sac débordait de « provisions ».

Elle s'installa pour traiter de vieux e-mails, et c'est alors qu'il prit l'envie à Pam de lui raconter sa vie. En une demi-heure, Cassie fut la dépositaire de plus d'informations intimes sur les dérèglements de la vessie de Pam qu'elle n'aurait jamais pu l'imaginer. La simple mention des urines de Pam verdâtres au réveil suffit à lui couper l'appétit. Elle partit refaire du café.

— Trop de café vous flanque la cystite...

S'emparant du téléphone, Cassie composa à toute vitesse le numéro de Jen. Ayant été mise au courant des derniers potins de la semaine, elle s'attarda sur les détails sinistres de ses dernières liaisons et promit vaguement, une fois de plus, que ce week-end serait différent.

Après avoir raccroché, elle sélectionna dans sa boîte e-mail tous les messages de plus d'une semaine et pressa la touche « effacer ».

— Là ! fit-elle, contente d'elle-même. Voilà pour les e-mails.

Elle fit un clin d'œil à Pam, dont la seule réaction fut de se pencher par-dessus la cloison basse pour lui glisser d'un ton venimeux :

— Tu sais, tu ne trouveras jamais un homme assez solide pour toi.

C'était une sacrée gifle, pour un début de vendredi après-midi pluvieux. Cassie ne sut que répondre. Elle sirota son café froid, inspira à fond et espéra qu'une tornade soudaine envoie une maison sur la tête de la vieille sorcière, comme dans *Le Magicien d'Oz*...

Cette après-midi-là, les deux femmes n'échangèrent pas un mot. Mais l'affreuse mégère avait visé juste, et Cassie en fut troublée pour le restant de la journée. Les yeux rivés sur son moniteur sans rien y voir, elle tournait et retournait dans sa tête la remarque de Pam.

Suis-je vraiment si effrayante ?

En son for intérieur et avec un soupçon de fierté mal placée, Cassie devait admettre que c'était bien possible. Mais cela ne fit que déclencher son auto-apitoiement automatique : personne ne la connaissait vraiment, etc. Rapidement, elle laissa tomber, et retourna mettre à sac l'armoire à fournitures.

Son humeur ne s'améliora pas lorsqu'elle quitta le bureau en fin de journée, même si elle apprit avec joie que le contrat de Pam avait pris fin. Affalée au comptoir du bistrot du coin, elle se sentait encore bizarre en ingurgitant ses trois premières bières, et en maugréant dans sa barbe. Tout autour d'elle, des hordes d'employés de bureau fêtaient la fin d'une autre semaine de travail fastidieux. Maussade, sentant des regards peser sur elle, Cassie s'empara d'un journal qui traînait près d'elle, le déploya et posa son téléphone devant elle, espérant qu'il sonnerait et lui donnerait l'air moins seule. Soucieuse que ses trois premières bières ne se sentent pas abandonnées au fond de son estomac, elle envoya de nombreuses copines les rejoindre.

En rentrant d'un pas mal assuré, peu après minuit, elle eut fort à faire pour éviter de percuter une bande de femmes encore plus ivres qu'elle qui traînaient de bar en bar, et que Cassie trouvait habillées comme des racoleuses de séries B.

— Vous avez toutes l'air de putes ! Mais pas de jolies putes de cinéma, oh que non ! Rien à voir avec Jamie Lee Curtis dans *Un fauteuil pour deux*, avec son joli teint et ses yeux pétillants ! Parce que toute une vie d'entraineurs personnels et d'alimentation macrobiotique ne peut pas être gâtée par du rouge à lèvre flashy et du maquillage à paillettes ! Vous avez toutes l'air de misérables putes !

Cassie pivota pour suivre leurs derrières du regard tandis qu'elles gravissaient les marches. Pas terrible.

— Génial, râla-t-elle. J'aurais pu me passer de ça…

Elle lorgna le videur, qui semblait ne pas la voir. Plongeant tête baissée, elle fit une petite révérence en tentant d'attirer son attention, mais ça lui flanqua le tournis.

— J'avais l'habitude d'aller en vacances en France, fit-elle d'une voix pâteuse, et chaque année, j'allais au barbecue de la grande fête de la Bastille. Il y avait ces grosses saucisses appelées andouillettes, des boyaux emballés dans des boyaux… Quand on les grille, la peau éclate, il y a la viande blanche dessous et plein de petits morceaux multicolores qui jaillissent au grand jour, on dirait vraiment des cadavres décapités gonflés d'eau qui explosent !

Cette fois, le videur la toisa, et son expression suggéra clairement qu'il n'était pas assez payé pour être accosté par des poivrotes racontant des histoires de saucisses.

— Et ces bonnes femmes… ajouta Cassie en désignant vaguement l'entrée du club. Ce qu'elles ignorent… C'est que vues de dos, elles ressemblent à s'y méprendre à ces affreuses saucisses françaises…

À cet instant, une autre bande de filles émergea du club, et elles entamèrent leur rituel de pré-accouplement avec des types, de l'autre côté de la rue. Les yeux écarquillés, Cassie suivit la scène. La plus grande portait une mini robe noire, toute simple. Les cheveux lustrés, des jambes hâlées interminables, elle était belle. Cassie la détesta. Mais pas longtemps. La fille fourra deux doigts dans sa bouche et émit un sifflement strident, s'attirant non seulement l'attention des types mais également celle de tout le pâté de maisons. Alors, elle leur tourna le dos, se pencha en avant et souleva sa robe, dénudant brièvement un cul parfait. Cela fait, elle frappa dans ses mains, poussa des cris et tapa dans les mains de toutes ses copines. Puis, au cas où les types l'auraient déjà oubliée, elle remit ça.

Cassie vit la bande de garçons crier en chœur et applaudir. De toute évidence, ces hommes de Cro-Magnon pensaient qu'une soirée réussie se terminait obligatoirement par une séance de baise sous une porte cochère, au milieu des détritus et des vomissures. Elle se jura d'aller se soûler à l'avenir dans des quartiers mieux fréquentés, et se remit à souhaiter ardemment qu'ils meurent tous. Dans d'atroces souffrances. Et seuls. Et s'ils pouvaient crever en silence, ce serait parfait.

Cassie tourna les yeux vers le videur qui, de façon fort peu subtile, fit mine de lui barrer l'entrée du club.

Ça lui donna envie de pleurer.

— Ça va... Je ne veux pas entrer, de toute façon. J'ai envie de tuer quelqu'un. À plus...

La colère qui bouillait en elle n'était pas de celles qui la conduisaient à brailler et tout casser, ce qui finalement la soulageait. Plutôt le genre de colère sourde qui la faisait trembler jusqu'à ce qu'elle se sente à deux doigts d'exploser. Elle percevait des flux d'énergie négative qui s'amassaient en elle, et ça lui donnait envie de rebondir contre les murs et de siffler dans l'air comme une balle de fusil.

Si je continue à enchaîner les verres assez vite, se dit-elle, *mon cerveau va fondre et se désagréger. Alors, je pourrai suivre en accéléré tout le processus auto-apitoiement / larmes, et avec un peu de chance, plonger rapidement dans une bienheureuse inconscience. Et demain matin, je me réveillerai en me sentant stupide, un tantinet plus résolue et prête à affronter une nouvelle journée.*

Cassie trouva un taxi et, promettant de ne pas vomir, obtint d'être emmenée au seul endroit où elle s'imaginait que tout irait bien.

Arrivée en un seul morceau au Carnegie's, elle confia ses clés et sa veste à Al, derrière le comptoir. Celui-ci lui fit signe de s'installer sur un tabouret, au bout, et préféra s'abstenir de demander ce qui n'allait pas. En fonction de la crise du moment, il avait l'habitude d'être son confident, son confesseur, son punching ball ou son grand frère. Il se demanda brièvement si lui proposer de sortir avec lui un soir serait une bonne idée.

Cassie adorait le Carnegie's. Un endroit plutôt petit, sympa et tranquille avec son poste de télévision perché au-dessus du bar, et ses photos de sport aux couleurs passées ornant les murs. Il y avait des tables et des chaises en bois ; au fond, des banquettes tendues de cuir côtoyaient une table de billard pourpre qui aurait eu grand besoin d'un coup de neuf. Près de l'entrée se trouvait un présentoir à journaux et leurs frites épicées comptaient parmi les meilleures de la ville. Tout cela faisait de cet endroit un second foyer pour Cassie. Elle s'y traînait au moins trois fois par semaine. Voire chaque week-end, car même le samedi soir, l'ambiance y restait assez calme.

Sans attendre, Al posa devant elle un verre rempli de glaçons dans lequel il versa à ras bord sa vodka favorite. Elle le vida cul-sec, savourant la fraîcheur de la glace sur ses lèvres. Reposant le verre sur le bar, elle leva les sourcils, et il secoua la tête. Il substitua au verre un plus grand avec davantage de glaçons. Al et Cassie connaissaient par cœur le petit rituel.

— Allez, chéri…, fit-elle d'une voix pâteuse, continue jusqu'à ce que je tombe !

Al lui fit son regard le plus désapprobateur, mais elle mit néanmoins une bonne minute à percevoir le message.

— Ah, ça ira… continua-t-elle. Je promets de ne pas provoquer de bagarre, de ne mordre personne, de ne pas pleurer, et de ne pas tourner de l'œil dans les toilettes…

En une heure, elle se retrouva le nez sur le comptoir en bois, avec l'impression d'avoir dangereusement frôlé la sobriété paradoxale des grands ivrognes… Elle se trompait. Une chose dont elle était certaine cependant, c'est qu'elle ne pourrait jamais s'imbiber assez pour se débarrasser de ce genre d'humeur.

Une demi-heure et deux verres plus tard, elle n'était pas moins en rogne, mais encore plus ivre. Sept types entrèrent et s'installèrent au comptoir. Cassie ne les reconnut pas. Cependant, peu après leur arrivée, l'un d'eux tenta d'engager la conversation avec elle. Al lui adressa un second coup d'œil maternel de mise en garde, qui la piqua assez au vif pour l'inciter à flirter quand même. L'inconnu lui offrit un verre, et lorsqu'ils annoncèrent qu'ils allaient faire la tournée des clubs et l'invitèrent à les suivre, elle décida que la danse réussirait peut-être là où la picole avait échoué. Elle adorait danser. Elle se trémousserait jusqu'à s'être débarrassée de cette satanée mauvaise humeur.

Elle vit Al demander aux types où ils comptaient se rendre et lui en voulut de se mêler de ses affaires. Tout en se préparant à partir avec les sept inconnus, elle déclara avec un rire qui sonnait faux :

— Quand on retrouvera mon cadavre dans un fossé, tu seras le témoin oculaire, c'est ça ? Ne t'en fais pas, Al... Nous allons juste au RedEye.

— Comme tu voudras, Cassie. Mais fais attention, d'accord ?

Il lui remit ses affaires par-dessus le comptoir.

Hochant la tête, morose, Cassie plongea la tranche de citron dans sa vodka, se lécha l'index et s'envoya le verre cul-sec.

Le RedEye faisait partie des boîtes de nuit qu'elle fréquentait régulièrement. Le propriétaire étant un vieux camarade de classe, elle figurait sur la liste des invités à vie. En plus, les six videurs la connaissaient tous par son nom. Quand ils faisaient le tour de la piste de danse en la cherchant des yeux, elle supposait que cela leur plaisait. Comme elle aimait à le répéter à Jen, il était en définitive toujours question d'elle. Il ne lui était jamais venu à l'esprit qu'ils puissent vouloir s'assurer qu'elle n'était pas en train de créer des problèmes. Quoi qu'il en soit, elle se sentait toujours bien au RedEye, en sécurité, et si elle avait pensé pouvoir encore construire des phrases, elle se serait simplement contentée de le rappeler à Al.

À l'entrée de la boîte, on lui fit signe de passer et elle courut vers la piste de danse, sans attendre que ses nouveaux amis aient payé leur entrée. Dix minutes plus tard, elle sentit des mains la prendre par les hanches et rouvrit les yeux pour voir le type mignon du Carnegie's lui sourire en lui tendant un verre. Souriant à son tour, elle l'accepta. Il la prit alors par la main pour l'entraîner dans un coin sombre. En chemin, elle ne croisa aucun des amis du type.

Il se mit à la bécoter, et elle baissa les paupières, heureuse de se laisser faire. La musique l'aidait à tenir debout ; le rythme frénétique apaisait ses tourments intérieurs, et elle espérait bientôt trouver sa propre cadence.

Ça n'arriva pas.

Le type, dont elle ne sut jamais le nom, ne parut pas conscient ou troublé qu'elle ne réagisse pas entre ses bras. Il glissa les mains sous sa chemise, lui mouillant le visage de ses baisers maladroits. Cassie restait inerte. Elle se recroquevillait en elle-même, redevenant la plus petite des poupées russes, noyée dans les ténèbres. Qu'importait ce que faisait sa coquille externe ? Elle ne sentait plus rien.

Une petite voix au fond d'elle-même lui souffla que si ni la boisson ni la danse ne la libéraient de cette humeur, elle avait peut-être besoin de baiser. Quand elle le fit clairement comprendre à l'étranger, celui-ci ne souleva aucune objection.

En quittant le club, il lui dit dans quel hôtel il était descendu, avouant du même coup qu'il ne possédait pas de véhicule pour s'y rendre. Le cœur de Cassie lui manqua. C'était à l'autre bout de la ville, et dans le coin, les taxis étaient franchement rares. Elle eut soudain une idée de génie. La chaîne hôtelière possédait un immeuble à deux pâtés de maisons du lac, et Cassie entraîna son compagnon de ce côté. À leur arrivée, elle expliqua au concierge qu'ils étaient descendus à l'hôtel principal et celui-ci s'arrangea pour les faire déposer à titre gracieux. Cassie se sentait gonflée à bloc, comme si elle surfait sur cette soirée.

Quand ils furent enfin dans la chambre du mec, elle commença à reprendre ses esprits. L'éclairage était trop cru. Des bagages étaient éparpillés un peu partout à terre. Sur un plateau reposaient les reliefs d'un repas, et des bouteilles de bière vides traînaient à côté du lit. Elle scruta son reflet dans le miroir, et la femme qu'elle y découvrit avait le teint cireux et des cernes noirs sous des yeux battus au maquillage défait. Son visage exprimait tout le mépris que peut inspirer une personne assez stupide pour se conduire ainsi, et se retrouver à 4 heures du matin dans la chambre d'un parfait inconnu, avec le projet saugrenu de noyer sa mauvaise humeur dans une partie de jambes en l'air. Cassie fondit en larmes.

Quand le garçon réapparut, il s'assit près d'elle, sur le lit, et l'enlaça. Qu'il se montre aussi prévenant la fit se sentir encore plus mal, et elle s'entendit dire ce qu'elle n'aurait jamais cru prononcer un jour :

— Je suis tellement navrée… Je ne peux pas ! Je sais que je t'ai fait espérer, et ça me culpabilise car je pensais aller jusqu'au bout, mais… je ne peux pas. Je t'en prie, essaye de comprendre, je n'ai pas voulu me moquer de toi… Je dois y aller.

Elle remit ses bottes.

Il se leva et alla se poster devant la porte. Cassie l'imita. Il se tourna alors face à elle.

— La porte est fermée.

La panique envahit la jeune femme. Une seule pensée lui traversa l'esprit :

Fais ce que tu as à faire, mais ne me fais pas de mal !

Une éternité parut s'écouler. Elle ne parvenait pas à déchiffrer l'expression du type. Clouée sur place, elle entendait son cœur battre la chamade, se demandant ce qui allait se passer maintenant.

— Bon sang ! fit-il enfin. Qu'ai-je fait de la clé ?

Cassie se remit à pleurer, de soulagement, cette fois.

Il déverrouilla la porte et revint vers elle.

— Tu ne veux pas rester ? Nous pourrions simplement nous blottir l'un contre l'autre et nous endormir. Ça me plairait beaucoup. Je t'en prie…

À la façon dont il le lui demanda, elle comprit qu'elle n'avait pas été la seule à n'avoir aucune idée de ce qu'ils s'apprêtaient à faire.

— Je ne peux pas, répondit-elle en le contournant de façon à ce qu'il ne lui bloque plus la sortie. Vraiment, je ne peux pas.

Elle fila.

Plutôt que d'attendre l'ascenseur, elle dévala les huit étages, traversa en trombe le hall de l'hôtel, et émergea à l'air libre, sous les pâles lueurs de l'aube naissante. Elle rentra chez elle en courant sur presque tout le chemin, tremblante, le visage dévoré de larmes.

Une fois douchée et calmée, elle songea que rien ne valait une frayeur authentique pour oublier ses états d'âme. Comment avait-elle pu se fourrer dans de tels draps ? Elle ne méritait pas de rentrer chez elle saine et sauve, elle en avait conscience. Ce fut une nuit de plus où elle s'endormit en pleurant.

CHAPITRE 16

À mesure que je m'enfonçais vers le nord, il me semblait que je me rapprochais de ce dont j'avais le plus besoin. À New York, la chance continua de me sourire avec Nell. La belle, la parfaite Nell. À la seconde où je la vis, je sus dans mes tripes que quelque chose de vraiment spécial était en train de se produire. Il n'y aurait plus de déceptions, je le savais. Car elle me prit au dépourvu et, dès le premier sourire, tout parut incroyablement naturel.

Je voulais vraiment que ça fonctionne, et les choses paraissaient en prendre le chemin. Tout ce qu'elle faisait, tout ce qu'elle disait… Tout en elle me plaisait. Je devenais nerveux parce que je sentais que cette fois-ci, j'avais tout à portée de main. Cette fois-ci, tout était parfait. Je le sentais. Shauna aurait été si fière, si heureuse pour moi…

Avec Emily, tout avait déraillé au bout d'une semaine. Avec Rachel, ça avait pris environ un mois. Avec Nell, ça semblait ne jamais devoir s'arrêter. Au début, j'étais un peu effrayé à l'idée qu'elle puisse faire une erreur, et ne me laisser d'autre choix que d'y mettre un terme une fois de plus. Au lieu de cela, elle continuait à me surprendre. Elle passait tous les tests haut la main, comme si elle l'avait déjà fait un millier de fois.

Nell était mon âme sœur.

Et plus elle me rendait heureux, plus je repensais à ces deux ou trois dernières années. Mon deuil avec Shauna m'avait aveuglé sur beaucoup de choses. Avec Emily, c'était bien tenté, mais je n'avais pas vraiment réfléchi à la situation. Il ne m'avait pas déplu d'en finir avec elle, et de reprendre enfin ma vie en main, de me donner les moyens d'atteindre mes objectifs et d'obtenir ce que je méritais. Je le savais, je ne me contenterais pas de quelque chose de commode, je voulais atteindre la perfection. Ce n'est que bien plus tard que je réalisai que peut-être, je n'avais pas vraiment laissé sa chance à Emily… J'avais probablement réagi de manière excessive.

Quoi qu'il en soit, j'avais redoublé d'efforts avec Rachel. C'était mon devoir, pour ainsi dire. Pas simplement pour que tout colle, mais aussi parce que c'était une façon de demander secrètement pardon à Emily. Il fallait que tout colle, pour nous trois, et pour Shauna aussi, d'ailleurs. Avec Rachel, je pris le temps de lister toutes les erreurs que j'avais commises avec Emily, afin d'y remédier cette fois, de ne surtout pas recommencer à me fourvoyer. L'a-t-elle remarqué ? A-t-elle vu tous les efforts que je faisais ? M'en a-t-elle une fois, une fois seulement, remercié ? Bordel de Dieu ! C'était la faute d'Emily si je me décarcassais à ce point ! Cette sale putain d'Emily ! De repenser comme ça à elle me mit dans une telle rogne que je dus en finir aussi avec Rachel. Ça ne marchait pas vraiment, de toute façon.

Et puis il y eut Nell. Avec elle, je commençais à me détendre.

J'aurais pourtant dû me méfier. Il ne faut jamais se détendre, car il y aura toujours quelque chose qui viendra vous pourrir la vie. Un truc qui vous gâtera votre café, votre journée, voire même toute votre sacré bon Dieu d'existence !

Un matin, Nell m'appela tandis qu'elle se rendait à son travail, me demandant de venir la rejoindre à l'heure du déjeuner. Au ton de sa voix, je sus que tous mes plans étaient sur le point de capoter. Reprenant la carte routière dans la boîte à gants de ma voiture, je me remis à réfléchir à un trajet vers le nord.

Plus tard, le même jour, elle m'expliqua qu'une institution caritative quelconque, auprès de laquelle elle avait déposé sa candidature pour partir enseigner outre Atlantique, avait accepté son offre, et lui proposait de passer six mois en Afrique. Elle était tout excitée. Elle m'expliqua qu'elle attendait depuis longtemps une telle opportunité. Elle n'arrivait pas à croire qu'on ait pu se rencontrer en un si mauvais moment, mais elle me demandait d'attendre son retour. En guise de réponse, je l'embrassai. Cette fois, elle me laissa un mauvais goût dans la bouche. Le fait qu'elle puisse supporter de rester si longtemps loin de moi me laissait entrevoir qui elle était réellement.

Je n'avais qu'un mois avant qu'elle ne me tourne le dos. Elle décida donc d'organiser un dernier week-end en amoureux, profitant de l'absence de sa colocataire, afin que nous puissions nous dire au-revoir comme il convient.

CHAPITRE 17

À l'approche de la fin janvier, Cassie avait commencé à ressentir la fameuse culpabilité des travailleurs à domicile, et s'était dit qu'elle devrait probablement reprendre le boulot sans tarder. Arpentant nerveusement la pièce, elle s'était mise à râler, à pester contre son bureau, les cartons de dossiers et les piles de CD que le siège lui avait fait parvenir.

Elle s'était vue accorder un délai supplémentaire pour boucler un gros dossier, mais elle n'avait pas vu passer les vacances, entre ses déboires amoureux, ses cuites répétées et sa mauvaise humeur chronique. Du coup, elle avait dû consacrer le premier mois de cette nouvelle année à travailler, travailler, et encore travailler. Il lui restait des centaines et des centaines de négatifs à sortir, autant de photos à développer sans parler des séances de shooting qu'elle avait laissées de côté depuis trop longtemps déjà.

Elle n'était plus désormais qu'à une semaine de sa sortie avec Paul, mais la situation la rendait profondément mal à l'aise. Les hommes ne demandaient pas à Cassie de sortir avec eux : elle se biturait et les ramenait chez elle. Ça se passait ainsi depuis si longtemps qu'elle n'arrivait même plus à se rappeler s'il en avait jamais été autrement, par le passé. Lors des rares occasions, à l'époque, où un garçon avait trouvé le courage de lui faire la proposition, la jeune femme s'était montrée pleine de soupçons. Cela ne pouvait être qu'une plaisanterie. Un pari.

Elle appela Paul avec la ferme intention d'annuler le rendez-vous, mais elle n'eut pas la présence d'esprit de réfléchir à une excuse valable avant de téléphoner.

— Paul ? C'est Cassie.

— Bonjour ! Ravi que tu m'appelles. Comment ça va ?

— Je croule sous le boulot ! C'est dingue tout ce qu'il y a à faire ! Je suis sur un projet qui devrait être bouclé depuis décembre, et j'ai déjà eu un report de délai, alors je dois le rendre d'ici deux ou trois semaines au plus tard. Je suis vraiment navrée mais… ce week-end, je ne pourrai pas.

Il y eut un silence, et Cassie fut partagée entre sa culpabilité vis-à-vis de Paul et le soulagement d'être débarrassée.

— Eh oui, cette année a commencé sur les chapeaux de roue ! Écoute, ce n'est pas grave, je comprends parfaitement. Moi-même, je vais devoir m'absenter dans le courant du mois, dit-il avant de marquer un second silence. Est-ce que le 28 te conviendrait mieux ?

Cassie allait protester, mais tout ce qu'elle s'entendit répondre, ce fut :

— D'accord. Le 28, c'est noté. Merci. À bientôt.

Elle raccrocha. Posa le téléphone sur le lit. Le fixa. Elle n'avait vraiment pas voulu réagir ainsi.

— Hum, dit-elle tout haut, il est prêt à m'attendre près d'un mois pour m'offrir à dîner. Quel loser…

Ça, ce n'est pas gentil...

Elle se traîna dans son bureau, renversa le contenu de toutes les caisses et entreprit de faire de jolies petites piles au hasard, avant de se lasser et de retourner se faire du café. Une fois installée, elle dénicha le disque source, l'inséra dans le lecteur, se cala bien au fond de son gros fauteuil ergonomique, posa les pieds sur de vieux dossiers empilés, et afficha une image à l'écran. Tandis que son café refroidissait, elle la contempla une demi-heure.

— Il me faut un autre café.

Tu bois trop de café.

Sa deuxième tasse refroidit à son tour alors qu'elle faisait un tirage papier, et passa vingt minutes à dessiner des moustaches, des lunettes et des crocs aux personnages de la photo. Elle épingla ensuite l'image ainsi améliorée sur le mur, près de son moniteur, et, les pieds cette fois posés sur le bureau, elle avala une gorgée de son café refroidi.

— *Beurk !*

Elle alla en refaire couler.

De retour à son PC, elle s'avisa qu'il était l'heure de déjeuner.

Alors que le soleil commençait à décliner, tout le monde, sur la photo, était affublé de souliers à clochettes, de verrues poilues sur le nez et de cheveux dressés sur la tête, comme dans les dessins animés. Les doigts tachetés par des surligneurs de diverses couleurs, Cassie était ravie de son œuvre. Toutefois, il était peu probable qu'elle suscite autant d'enthousiasme auprès de la direction de la maison de retraite des *Verts Pâturages*, qui avait loué les services de son agence pour concevoir sa nouvelle brochure commerciale...

La nuit était presque tombée. Et Cassie s'ennuyait ferme. Faisant pivoter le fauteuil, elle s'en extirpa maladroitement pour gagner sa chambre où elle ouvrit violemment l'armoire pour en inspecter le contenu.

— Je n'ai rien à me mettre !

Tu devrais sortir renouveler ta garde-robe.

Assise sur le rebord du lit, elle appela Jen.

— Bonjour ! Je bosse… un petit peu. Mais tu sais, nous sommes en janvier, je déteste le boulot, je suis fauchée et je m'emmerde. Dieu, ce que je m'emmerde ! Mais tu sais, bla bla bla… Je n'ai rien à me mettre. Et avant que tu ne me le proposes, non, tu n'as rien que je veuille mettre ! Je veux aller faire les boutiques.

— J'ai du travail par-dessus la tête, Cassie. J'ai des tonnes de choses à faire…

— Oh, vraiment ? Je n'avais pas réalisé que tu étais à ce point occupée. Mouais… Janvier doit être un mois très chargé pour toi. Je ne me rendais pas compte. Que dirais-tu de demain après-midi ?

Quand Jen suggéra de sortir tard le soir à la fin de la semaine, Cassie se montra aussi peu coopérante que possible pour fixer le lieu et l'heure du rendez-vous. Brisant sa résolution, elle réussit à convaincre Jen de se retrouver à un endroit qui lui convenait mieux. Cette victoire mesquine ne l'empêcha toutefois pas de se sentir contrariée une fois qu'elle eut raccroché.

— Je voulais sortir *maintenant !* râla-t-elle à voix haute, retournant s'affaler devant son bureau.

Après cent dix-sept parties de solitaire, elle estima que ça suffisait pour la journée.

CHAPITRE 18

Ayant deux jours devant moi, je me suis rendu chez Sears où j'ai fureté dans les rayons à la recherche de quelque chose que j'aimerais te voir porter. Il y avait tant de choix ! Mais, je le savais, ratisser le périmètre attirait toujours à moi les femmes qu'il fallait, et je me disais que si je persévérais, le principe fonctionnerait encore.

Après un moment, une vendeuse est venue me harceler, visiblement dérangée de me voir passer autant de temps au rayon femmes. J'ai rougi quand elle m'a adressé la parole, et lui ai dit que je cherchais un cadeau pour ma sœur, quelque chose de spécial pour une fille très spéciale. La vendeuse s'est alors montrée extrêmement serviable. Elle m'a encouragé à toucher les étoffes, et a trouvé qu'il était formidable de voir un homme consacrer du temps à chercher le cadeau idéal, au lieu de se contenter d'idées toutes faites. Car, m'a-t-elle expliqué, les femmes reçoivent toujours les mêmes cadeaux passe-partout. Elle m'a félicité pour mon bon goût. Elle flirtait avec moi. Bien sûr, elle perdait son temps. Les choses sont si différentes maintenant… Quand j'étais seul, chaque rencontre avait un potentiel fou — à tout instant, je pouvais tomber sur l'âme sœur — mais dès que je l'ai trouvée, dès qu'elle a été sur le point de devenir ma compagne, c'était comme si le monde entier était de nouveau plongé dans les ténèbres. Plus aucune lumière n'émanait des gens. Dans tout l'univers, il n'existe plus d'autre femme à mes yeux. Elle est tout pour moi.

Avec l'aide de cette vendeuse, j'ai déniché quelque chose qui siérait à ton teint. Peut-être un rien trop habillé pour un premier rendez-vous, mais magnifique ! J'ai hâte de voir l'effet que ça produira sur toi. J'ai vu plein d'autres trucs aussi, donc quoi que tu choisisses, ça me plaira sûrement. C'est facile, tu es tellement prévisible… en quête de la moindre distraction. Donc, tu auras une réaction excessive. Tu voudras en mettre plein la vue.

— Trop élaboré.

— Et ça ?

— Trop rose.

— Ça ?

— Trop long.

— Ça ?

— Trop noir.

— Ça ?

— Trop… toi !

— Cassie, tu es un cauchemar sur pattes ! protesta Jen en croisant les bras, adossée au mur. As-tu la plus petite idée ce que tu cherches, en fin de compte ? Est-ce que ça t'arrive, de savoir ce que tu veux ?

Cassie lui jeta un regard noir.

— Naturellement que ça m'arrive ! Je veux juste un truc simple mais en même temps étonnant, élégant et classe. Quelque chose… Oh, putain, d'accord, je n'en sais rien ! Quelque chose, quoi ! Et ça ?

Elle tenait un pantalon noir. Jen eut une grimace dédaigneuse.

— C'est rigoureusement le même que celui que je viens de te proposer il y a deux minutes, et tu as trouvé qu'il était trop noir !

Cassie le confia néanmoins à son amie, qui l'ajouta à la pile de hauts et de pantalons qu'elle tenait sur son bras.

Vraiment ? Il te plaît ?

Cassie fit la moue.

— Soit, je suis peut-être un peu vague… Je ne sais pas quoi me mettre, franchement. Souviens-toi, la première fois que je l'ai vu, j'étais sens dessus dessous, en sang et complètement ivre ! Entre ça et un coup de fil stressant, je ne suis pas très avancée.

Jen lui sourit.

— Cassie, qu'est-ce que ça peut bien te faire, ce que tu sais ou ce que tu ne sais pas de lui ? Quelle importance, ce qu'il aime ou ce qu'il n'aime pas ? Choisis simplement un vêtement dans lequel tu te sens bien. Ce que les garçons aiment, c'est de voir les filles heureuses et pleines de joie de vivre. Vous vous plaisez déjà, de toute façon, alors il est inutile de te mettre martel en tête avec ce genre de détail. Tu es franchement ridicule !

— Comment est-il ?

— Paul ?

— Non, le petit Jésus, patate ! Naturellement, Paul !

— Il est… gentil, répondit Jen, et Cassie fit la grimace. Gentil ne veut pas dire assommant, Cassie. Il est doux. Sympa. Très prévenant aussi. Pendant toutes les vacances, il ne m'a jamais laissée porter les courses, et a toujours participé aux tâches ménagères. Et puis, il a de l'humour. Il lui arrive aussi d'être plutôt réservé, mais moi, j'apprécie.

Cassie hocha la tête.

— A-t-il jamais parlé de ses ex ?

Ce fut au tour de Jen de faire la grimace.

— Franchement, je ne sais pas. Mac et lui parlaient du bon vieux temps un soir, et depuis mon bureau, je tendais l'oreille. Mais je n'ai pas saisi grand-chose.

Les filles évoluaient entre les portants de vêtements. Cassie laissait traîner des doigts distraits le long de leur arête sans faire attention, quand soudain elle décrocha un cintre.

— Et ça ?

Bonne petite !

Jen ouvrit de grands yeux.

— On dirait un bol de spaghetti qui aurait explosé… C'est une robe, *ça !?*

Lui décochant un sourire lascif, Cassie se dirigea vers les cabines d'essayage.

Je savais que tu saurais dénicher de jolies choses. Ça fait une heure que je te regarde essayer des vêtements. Et tout ce que tu choisis est si prévisible ! Des ensembles voyants, scintillants, très courts… Jen les trouve systématiquement laids. C'est elle qui ne comprend rien. Elle n'a vraiment pas tes intérêts à cœur comme moi. Je suis ravi que tu essayes une des robes que j'avais mises en évidence pour toi. Il y a quelque chose de sublime dans la façon que tu as de laisser la soie caresser ta peau. C'est un tissu si fin qu'on ne le sent presque pas, qu'on n'en enregistre pas la sensation à moins que la vue ne le confirme. J'ai savouré la fraîcheur de la robe glissant entre mes doigts, et c'est bon que tu l'achètes.

Ainsi, j'aurai touché chaque centimètre carré de l'étoffe qui t'enveloppera.

Cassie passa devant la vendeuse d'un pas conquérant, déclinant d'un geste son offre de l'accompagner pour se diriger droit sur les cabines d'essayage. Elle plongea dans la cabine libre la plus éloignée qu'elle puisse trouver.

Laissant choir la robe au sol, elle s'affala sur le petit tabouret, les mains crispées sur sa bouche. Depuis cinq minutes elle haletait discrètement, et sans savoir pourquoi, ne parvenait pas à recouvrer une respiration normale. À présent, elle s'efforçait d'étouffer le cri qu'elle sentait monter dans sa gorge. Depuis l'adolescence, elle avait toujours eu de petites crises d'angoisse comme celle-ci. Mais récemment, ces attaques se multipliaient. Elle refoula la bile qui lui montait de l'estomac. Le sel des larmes lui brûla les yeux et elle les chassa d'un revers de main. Elle regretta de ne pas avoir gardé dans sa poche le petit mouchoir en papier, mais il était si froissé qu'elle l'avait jeté, sans penser à le remplacer. Alors, elle se pencha en avant, la tête entre ses genoux, relâcha les muscles de son visage, et après quelques secondes, un peu de bave lui échappa des lèvres, gouttant doucement à ses pieds, sur les carrés de moquette grise, En moins d'une minute, sa respiration redevint normale, les spasmes de sa gorge s'apaisèrent et, se redressant sur le tabouret, elle laissa couler des larmes silencieuses.

Quand tu as filé dans les cabines d'essayage, j'ai patienté, sans bouger, attentif à mes propres battements de cœur. C'était comme si tu t'habillais pour moi. Qu'est-ce qui a pu prendre si longtemps ?

Lorsque Cassie réapparut, triomphale, Jen dut admettre que l'effet était véritablement saisissant même si, sur le cintre, on aurait dit que la robe avait été sauvée à la dernière minute d'une broyeuse. À présent, portée par Cassie, elle était splendide. Écarlate, moulante et avec des lanières dans le dos. Un long pan de tissu retombant sur les genoux semblait se lover autour de Cassie comme un serpent de soie, et braver spectaculairement les lois de la gravité.

— Qu'en dis-tu ?

Parfait !

— Je te hais !

Rayonnante, Cassie pivota pour admirer son profil dans le miroir.

— Pas mal, hein ?

— Oh, sur vous, c'est une splendeur ! Vous avez un rendez-vous spécial ?

Cassie jeta un coup d'œil à la vendeuse.

— Ben tiens, je l'espère !

Je me suis abreuvé à la source de ta lumière, réfléchi dans le miroir où tu te contemplais, d'une beauté presque innocente… Je t'ai vue tourner la tête vers la vendeuse, mais d'où j'étais, je n'ai pas pu entendre ce qu'elle disait. Qu'aurait-elle pu dire, d'ailleurs ? Tu étais splendide et à cet instant, je t'ai désirée si ardemment que je ne me sentais plus la force d'attendre…

Jen pouffa de rire.

— Comment peux-tu rendre sublime un truc aussi nase rien qu'en le portant ? Que vas-tu mettre avec ?

— La petite culotte la plus enrobante que je possède, je pense…, fit Cassie, lâchant enfin sa respiration.

Le rire de Jen la suivit tandis qu'elle retournait se changer dans la cabine voisine.

Je ne suis pas resté. J'en avais assez vu. Je voulais me retrouver seul pour penser calmement à toi. Mon plan soigneusement élaboré marchait comme sur des roulettes, étape après étape. Mais l'excitation ne me faisait pas renoncer à la prudence… J'ai été trop blessé par le passé. Il fallait d'abord accomplir quelque chose de spécial pour te rendre parfaite.

CHAPITRE 19

Trop nerveuse pour travailler, Cassie passa la matinée du jour fatidique à charger l'arrière de la voiture de sa mère avec les cadeaux de Noël de ses collègues dont elle ne voulait pas. Puis, après avoir traversé la ville déserte, elle parvint au centre d'accueil à l'heure du déjeuner, où elle trouva des tas de volontaires pour l'aider à décharger le véhicule. Ayant laissé son chapeau, son écharpe et ses gants au fond du coffre, enfouis sous les paquets qu'elle transportait, elle fut contrainte de superviser l'opération tout en piétinant le sol autour afin de lutter contre le froid. À voir tous ces objets débiles qui défilaient sous ses yeux, elle ne put réprimer un élan de mépris. Elle se représentait des rues entières de sans-logis en jersey rose ou jouant avec ces animaux animés qui se dandinent lorsqu'on crie ou qu'on tape dans les mains près d'eux. L'année promettait d'être étrange.

À l'insu de Cassie, Skirving l'observait depuis l'entrée du refuge.

Te revoir deux fois en une semaine est un message que je n'ai pas l'intention d'ignorer.

Cassie rentra peu après 14 heures en claquant des dents alors qu'un soleil blafard laissait s'installer les frimas de janvier.

Une fois réfugiée chez elle, la jeune femme ouvrit une bouteille de rouge et se fit couler un bain. Elle était passée maître dans l'art d'être prête soit cinq heures à l'avance, soit une heure en retard. Cela dépendait de son humeur. Tandis que la vapeur d'eau envahissait la salle de bains, elle étala sur le lit la robe et des sous-vêtements, débarrassa des assiettes et des tasses accumulées sur son bureau, et jeta trois jours de courrier non décacheté dans la boîte de recyclage près de la porte.

Quand sa vieille chaudière eut rempli la baignoire, Cassie se versa le dernier verre de la première bouteille et fila dans la salle de bains.

L'heure du bain...

Après avoir posé le verre de vin sur un petit tabouret en bois et s'être débarrassée de ses vêtements, elle se hissa dans la baignoire antique et se laissa glisser dans l'eau brûlante : le paradis. Elle disparut sous l'eau, en savoura la brûlure sur sa peau, puis se rassit, recrachant des bulles et repoussant ses cheveux en arrière pour se dégager le visage.

Étendue de tout son long, elle reprit son verre de vin, et en lapa une longue gorgée. Elle rinça le verre dans l'eau du bain et, jouant avec, se fit des promesses à voix haute.

— Je ne vais pas prendre une cuite et me payer la honte. Et lui coller la honte, à lui aussi.

« Je ne me réveillerai pas près de lui demain matin.

« Je ne rentrerai pas à la maison avec ma culotte dans mon sac à main.

Elle repensa aux affreux cauchemars qu'elle avait faits, et songea qu'avec un homme comme lui, elle n'aurait pas de mouron à se faire.

Elle s'assoupit dans le bain, laissant des rêveries ridicules envahir son esprit. Il y avait celle où, Paul, admiratif, la regardait inaugurer sa première grosse exposition à New York ; celle où, assis dans le public, rayonnant d'adoration, il la voyait accepter son premier Oscar ; celle où, sauvé de justesse, il regardait son héroïne championne d'arts martiaux mettre hors d'état de nuire toute une bande de voyous qui les avaient agressés. Et enfin, pour des raisons qui lui échappaient, elle se voyait en train de sangloter au chevet de son lit de mort, trouvant les mots justes, en parfaite veuve de drames télévisés. Chaque fois qu'elle laissait son imagination ainsi vagabonder, elle en venait à se faire pleurer toute seule. Des larmes roulaient sur ses joues.

— Ridicule ! maugréa-t-elle en s'extirpant de la baignoire.

Elle laissa dans tout l'appartement un sillage d'empreintes savonneuses jusqu'à ce qu'elle revienne avec une deuxième bouteille et un tire-bouchon. De retour dans son bain, elle rinça le verre sous le robinet d'eau froide puis s'immergea.

Tandis que Cassie tentait de se donner du courage en s'imbibant d'assez d'alcool pour remplir une petite distillerie, Paul et Mac partaient jouer au billard américain. Paul affirmait que la soirée qui s'annonçait ne le rendait pas nerveux, mais tout en bavardant, il se trompa de pied pour mettre ses chaussures...

— Le feu au cul ! s'esclaffa Jen en disparaissant dans son bureau, ravie d'avoir le temps et l'occasion de travailler à la maison.

Cependant, elle gardait son portable à portée de main, prête à recevoir à tout moment un appel de Cassie en pleine panique d'avant-rencard. Sauf que cela ne se produisit pas…

Quand Cassie sortit du bain, elle avait ingurgité assez de vin rouge pour se sentir invincible et sexy, et n'avoir plus peur de rien ni personne. Elle se sécha dans la salle de bains, sur les refrains de Goldfrapp que crachait la stéréo puis, toute nue, les poings sur les hanches, elle lança un regard de défi à sa culotte «ventre plat».

— Allez, ma petite, voyons ce que t'as dans le ventre !

Ça commençait bien. En quelque sorte. Tenant la culotte à hauteur d'yeux, elle tenta de l'étirer au maximum, mais même ainsi, elle n'avait pas l'air plus grande qu'un gant. Elle la tourna entre ses doigts à la recherche de la fermeture éclair susceptible de faciliter les choses. Rien à faire.

— Bien, marmonna-t-elle en se penchant pour passer les jambes dedans.

Monter la culotte le long des mollets jusqu'aux genoux n'était pas un problème, et elle se sentit plutôt optimiste. Une chouette vision dansait dans sa tête (pareille à l'image retouchée par Photoshop sur l'emballage). Grâce aux bons offices de l'étroite culotte, elle allait se transformer en sylphide…

Cinq centimètres au-dessus de ses genoux, la culotte se mit en grève.

— Oh, allez !

Cassie tourna la tête vers le miroir et s'y aperçut, pliée en deux, le cul en l'air, avec une culotte gaine incroyablement serrée qui faisait s'entrechoquer ses genoux. Prise d'un fou rire, elle manqua de perdre le contrôle de sa vessie. Laissant choir la coupable, elle se redressa pour apprécier son corps dans son entier.

Elle exhala un long soupir. Après avoir passé les fêtes à se goinfrer pour compenser la solitude, elle avait du mal à admettre que son physique en avait pris un coup. Naturellement élancés et minces, son ventre, ses hanches et ses cuisses s'étaient étoffés depuis la dernière fois qu'elle avait examiné son reflet dans un miroir.

— Et merde !

Elle eut un éclair de génie, et s'allongea sur le sol. Si ça marchait avec les jeans, il n'y avait pas de raison…

Après une âpre lutte de 20 minutes ponctuée d'éclats de rire avinés et de larmes cuisantes de frustration, elle s'étudia dans le miroir, en sueur et folle de rage. La tête lui tournant, le souffle court, elle haleta comme un chiot jusqu'à ce qu'elle parvienne à tenir debout en équilibre, et inspecta de plus belle son reflet, brandissant l'emballage pour mieux comparer.

— Sales menteurs ! fulmina-t-elle. Je vais te régler ça à coups de ciseaux, ma parole !

Néanmoins, elle dut finalement reconnaître que, sous la robe, la culotte remplissait parfaitement son rôle. Elle se promit de ne pas s'asseoir ou se lever trop vite pendant la soirée. De ne pas tousser, ni éternuer, ni avoir le hoquet, péter ou manger quoi que ce soit.

À dix-sept heures trente, elle était prête pour son dîner qui était fixé à vingt heures… Enlevant la robe, elle se rassit sur le tapis pour fouiller sous le lit à la recherche de chaussures. Se plier par-dessus la taille de la culotte lui coupait carrément la respiration.

Je t'ai entendue marcher dans la salle de bains, puis le mur a vibré quand tu t'y es adossée. Je me suis plaqué au plâtre froid, en imaginant pouvoir sentir un peu de ta chaleur se propager jusqu'à moi. J'ai retenu mon souffle quelques instants, tendant l'oreille pour percevoir le tien. À cet instant, j'aurais voulu tout confesser, afin de me préparer aux épreuves qui m'attendaient. Mais c'était simplement parce que je voulais que tu mesures la profondeur de mon affection, que tu comprennes tout ce que j'étais disposé à faire pour nous deux. Au lieu de cela, je tournai le visage vers le mur et embrassai tendrement l'endroit où tu étais assise de l'autre côté, à quelques centimètres de moi.

— Bientôt, chuchotai-je, nous serons réunis.

Cassie dégotta deux talons aiguille assortis, dépoussiérant d'un souffle le daim noir. Se tenant aux meubles, elle se hissa sur ses pieds puis tourna en rond dans son appartement pendant une demi-heure, se gavant de restes de ses repas à chaque passage devant la cuisine et parvint à tenir la culpabilité à distance en prétendant tester l'élasticité de sa culotte. Au troisième passage, elle s'immobilisa, à deux doigts de croquer dans un pilon de poulet, puis baissa les yeux sur sa culotte miracle. Elle haussa les épaules.

— Au point où j'en suis…

— Je déteste les premiers rendez-vous.

— Moi aussi, sourit Cassie alors que le serveur débarrassait les hors-d'œuvre.

Elle n'en revenait pas de se sentir aussi à son aise... Elle avait dégusté l'entrée tout entière sans faire un seul faux pas. Elle n'avait pas trébuché en venant s'installer, n'avait rien dit de trop stupide, et n'avait encore craché de vin rouge sur personne. Tout se déroulait à merveille.

Paul remplit de nouveau le verre de sa cavalière.

— Allez, raconte-moi le pire rendez-vous que que tu aies vécu, et je te raconterai la soirée la plus désastreuse de ma vie.

Cassie le dévisagea.

— Tu es sérieux ? Nom d'un chien, il y en a tellement !

Trop tard... La partie de son cerveau censée surveiller ce qui sortait de sa bouche venait manifestement de se tirer au bar du coin.

— Oh, mince, tu veux vraiment voir à quel point ça peut tourner à la débandade ? Bon, tu l'auras voulu... Un jour...

Et elle se lança dans le récit d'une longue série de désastres qui avaient largement de quoi échauder Paul.

— ... Donc, quand j'ai rappelé ce type le lendemain, il n'arrêtait plus de rigoler. Il m'a même assurée que ce n'était pas de moi dont il se moquait, avant de piquer une crise de fou rire, avec ses collègues que j'entendais à l'arrière-plan. Une autre fois, j'ai entendu le gars avec qui j'étais au lit sortir furtivement de la chambre, me croyant endormie, pour aller réclamer des préservatifs à ses colocataires parce que nous n'en avions plus. Une autre fois encore, j'ai eu mes règles au beau milieu d'une première sortie, et j'ai dû filer chez moi en catastrophe. Mais alors qu'il était en train de me dire au revoir, j'avais déjà du sang plein mes vêtements ! Il ne l'a pas remarqué, mais il a fallu que je me retourne sans cesse pour l'empêcher d'être derrière moi. Une fois sur le seuil de ma maison, ça a été une sacrée paire de manche de le repousser sans paraître complètement indifférente...

Cassie en était à son histoire de règles quand deux steaks saignants furent servis à leur table. Son monologue cessa net. Si sa petite culotte blindée le lui avait permis, elle se serait roulée en boule.

— Eh bien voilà..., enchaîna-t-elle, haussant les sourcils. Te voilà avec un nouveau premier rendez-vous catastrophique que tu pourras raconter plus tard... Je ne sais pas comment sont les toilettes des messieurs ici, mais celles des dames ont une lucarne par laquelle tu pourrais aisément t'échapper...

Le rire que Paul réprima à grand peine prouva qu'il ne se disposait pas du tout à partir. Il leva son verre en l'honneur de sa partenaire.

— Buvons à la fin de tous tes déboires ! lança-t-il, les yeux rivés aux siens.

Cassie tendit le bras pour trinquer avec lui et, horrifiée, sentit sa robe se déchirer légèrement, quelque part dans son dos...

Elle se concentra sur la nourriture qu'on lui avait servie. Le steak était accompagné de couscous saupoudré d'herbes fraîches. Impatiente de se retirer aux toilettes pour inspecter les dégâts, elle avait pourtant trop peur, en se levant, que la robe lui tombe sur les chevilles en dévoilant sa culotte ventouse. Elle commença donc à manger, mais dès la première bouchée, elle sentit des bouts d'herbes se prendre dans ses dents... Elle ne cessa donc d'acquiescer à tout ce que Paul disait, profitant de ses moindres battements de cil pour se frotter les dents du bout de la langue. Elle prenait soin de parler derrière une main levée ou sa serviette. Piégée sur sa chaise, elle priait pour que sa robe ne la trahisse pas lamentablement.

Le reste du dîner se déroula sans incident, et un rapide coup d'œil dans son miroir de poche, quand Paul fit un tour aux toilettes, lui permit de vérifier qu'elle n'avait pas un damier vert et blanc à la place des dents. La robe était un autre problème. Quand elle se leva enfin, Cassie la serra contre elle, d'une façon qui n'avait rien d'élégant ni de naturel.

Paul demanda à la réception du restaurant d'appeler un taxi, et ramena la jeune femme chez elle. Sur le seuil de sa porte, il l'assura qu'il venait de passer une très bonne soirée, qu'il avait été charmé, et qu'il lui tardait déjà de la revoir. Il l'embrassa délicatement sur les lèvres et remonta dans le taxi. Quand les feux arrière eurent disparu, engloutis par la nuit, Cassie s'attarda un peu au-dehors, sans ressentir le froid mordant, pour savourer le plaisir d'une soirée en amoureux comme, croyait-elle, seules les femmes adultes étaient susceptibles d'en avoir.

CHAPITRE 20

Naturellement, Nell ne manqua pas de me décevoir à son tour.

Des mois après notre rupture, je me réveillais encore à 4 heures du matin, et presque toujours à cause des rêves fous qu'elle m'inspirait. En général, elle se tenait sur une jetée de pierre surélevée, le dos tourné, mais je savais que c'était elle car je voyais la zone où je l'avais scalpée. La jetée s'étendait sur presque huit cents mètres, enjambant une plage de sable couleur chocolat chaud, et la mer s'étalait à perte de vue, partout. Je devais rejoindre Nell, mais les bords en pente de la jetée étaient couverts de fagots arrondis. On aurait dit du bois brûlé par le soleil au point d'en blanchir. Sauf que c'était des ossements. Des fémurs et des tibias aux extrémités biseautées pour en faire autant de lances acérées pointant dans toutes les directions. Quand j'en entamais l'escalade, je voyais Emily et l'entendais s'étouffer. Je voyais Rachel à genoux, le corps secoué de convulsions. Plus que tout, j'aurais voulu qu'elles me regardent. Mais elles n'en faisaient rien.

Et j'entendais la vibration aussi, avant de la sentir. Un rugissement sourd qui paraissait monter de mon propre corps.

Me retournant, je voyais la marée monter. Sauf qu'elle n'arrivait pas par vagues, elle fonçait à l'assaut des sables, à une vitesse surnaturelle. On eût dit une scène de film tournée en accéléré. Et je sentais la chair tendre de mon poignet transpercé par un faisceau d'os taillés en pointe. L'eau continuait de monter invraisemblablement vite, et je grimpais à toute vitesse, m'agrippant maladroitement aux piques osseuses, dans l'urgence, jusqu'à ce que je tombe épuisé sur la pierre froide et visqueuse de la jetée. Les yeux baissés sur moi, Nell se détournait ensuite et s'éloignait.

C'est à cet instant-là que je me réveillais pour m'apercevoir que j'étais en train de me masser le poignet. Quand je le tournais, j'étais certain de découvrir cinq petites marques parfaitement rondes. Mais il n'y avait rien.

J'avais refait ce rêve environ deux semaines plus tôt. Mais cette fois, je m'étais réveillé dans un état différent. Car, tout seul dans le noir, j'avais soudain réalisé que j'avais tout fait de travers. J'en fus malade. Comment avais-je pu être aussi stupide ? Et gaspiller ainsi près de deux ans de ma vie ? Quand je pense à tous les efforts investis, la réflexion, la planification, l'exécution… Comment ai-je pu croire un instant que ça pourrait fonctionner ? Je me le demande encore.

J'avais détruit toutes ces femmes et pour quoi ? Quel imbécile ! Elles n'auraient jamais dû me décevoir, et personne ne s'attendrait à ce que je le leur pardonne. Elles ont eu ce qu'elles méritaient.

En mon âme et conscience, je sais maintenant que j'avais tort de me croire capable de remplacer quelqu'un si aisément. Je ne recommencerai pas. Non. Je sais que c'est mal.

On ne peut tout simplement pas remplacer une âme sœur.

En revanche, on peut la créer.

Vous voyez, tout ce que j'ai enduré à la mort de Shauna… Manifestement, je ne peux pas la remplacer. Elle était unique. Mais voilà l'évidence qui vient de me frapper : si je peux trouver une femme qui en est passée par la même chose que moi, nous serons faits l'un pour l'autre. C'est tellement simple ! Ce sera comme de découvrir mon autre moitié. Elle sera le reflet de mon être.

Cependant, ce que j'ai enduré était si particulier que, j'en suis certain, personne n'a pu éprouver un chagrin comme le mien.

Pas encore.

CHAPITRE 21

L'après-midi suivant, on livra des fleurs à l'appartement de Cassie. En ouvrant la porte et en apercevant le bouquet, elle pensa qu'une de ses voisines devait être de sortie. Le livreur la regarda :

— Mademoiselle McCullen ?

Hochant la tête, Cassie accepta le bouquet. Elle laissa la porte se refermer derrière elle, passant dans la cuisine. Et tout en cherchant un vase, elle lut la carte.

« *Vu le comportement de ta robe, que dirais-tu d'un deuxième rendez-vous désastreux ? Choisis un film horrible samedi prochain. Ensuite, j'offrirai la pizza. Bisou, Paul.* »

C'était trop. Piquant une crise, Cassie lui envoya aussitôt un SMS pour expliquer qu'elle devrait s'absenter pour affaires deux ou trois semaines, le remercier pour le bouquet et conclure qu'elle le reverrait bientôt. Une vague de soulagement la submergea. Suivie d'un élan de culpabilité. Elle alla se ronger les sangs sous la douche.

Le déplacement professionnel, ça n'était pas du pipeau. Cassie avait la phobie des avions, mais elle se serait enfoncé des épingles dans les yeux plutôt que de l'admettre devant qui que ce soit. Néanmoins, ses tactiques dilatoires les plus éprouvées n'avaient pas résisté à une proposition de mission auprès d'une grosse agence new-yorkaise, tous frais payés et grassement rémunérée.

Quelques jours plus tard, alors qu'elle se lavait les cheveux pour la troisième fois, elle tenta de se répéter qu'il n'y avait rien à craindre en avion. Mais ça ne marcha pas. Elle devrait se biturer un petit peu.

À l'heure du déjeuner, voûtée sur son siège côté fenêtre, elle grinçait des dents et se rongeait les ongles en attendant que l'avion décolle. Quand l'appareil eut atteint son altitude de croisière, elle avait déjà dressé dans sa tête toute une liste de pannes et incidents susceptibles de provoquer un crash et de la précipiter vers une fin atroce et prématurée. Elle en était arrivée à la question du maintien de moteurs aussi lourds sous les ailes lorsqu'une bribe de conversation attira son attention.

Un couple, assis à côté d'elle, planchait sur des mots croisés.

— Bon, Billie Quelque Chose, en quatre lettres, a composé *Uptown Girl*.

Cassie avisa le journal étalé sur la tablette rabattable, et dévisagea le bonhomme qui tapotait le bord de son stylo. Comment pouvait-on être aussi neuneu ?

Sa petite amie releva le nez de son paquet de chips.

— Elliot ?

— Non, en quatre lettres…

À cet instant, quelqu'un prit la parole, dans la rangée de derrière. Cassie se contracta sur son siège. Elle était cernée.

— N'était-ce pas Mike & the Mechanics ? lança-t-on par-dessus l'épaule de la jeune femme.

Refoulant son rire, Cassie regarda fixement par le hublot pendant cinq minutes tandis que le couple, et au moins deux de ses amis dans la rangée de derrière, passaient en revue les groupes disparus, sans jamais approcher de la bonne réponse.

Quand Cassie n'y tint plus, elle se tourna vers ses voisins.

— Joel ! lança-t-elle au type en bout de la rangée. J.O.E.L.

Et elle revint à sa contemplation.

L'homme paraissait sincèrement reconnaissant.

— Merci à vous. Bon, définition suivante… Où se passe *Hamlet* ?

Sa petite amie crut le savoir.

— En Ecosse ?

— Non, ça, c'était *Macbeth*.

— N'était-ce pas le prince du Danemark ? fit une voix désincarnée, derrière.

— Oh, oui ! s'écria la petite amie. La Norvège, c'est la Norvège !

— La Norvège ?

— Mais oui ! Combien de lettres ?

— Sept.

— Tu vois ? La Norvège ! N.O.R.V.È.G.E.

— OK. N.O.R.V… Oh, ça ne colle pas…

Dans un moment de sereine lucidité, Cassie se dit que finalement, le décrochage des moteurs en plein ciel suivi du crash de l'avion ne serait pas une si mauvaise chose. Appuyant sur le bouton d'appel, elle commanda un autre verre.

Pour le retour, son vol étant prévu à 6 heures, elle dut se lever vers 3 heures du matin. À l'atterrissage, elle avait du mal à conserver la verticale et se disait qu'à force de bâiller à s'en décrocher la mâchoire, elle finirait par se disloquer le visage. Elle consulta la messagerie de son portable, et découvrit que Jen ne pourrait finalement pas passer la chercher ; elle devrait prendre un taxi. Ça n'améliora guère son humeur, même si elle avait conscience de la véritable cause de sa colère : aucun message de Paul.

Ça devait être son jour de chance, car il n'y avait pas de file d'attente à la station de taxis. En une heure, elle fut de retour chez elle et se jeta au lit tout habillée. Ses ronflements évoquaient des grincements de meubles traînés sur un sol carrelé.

Ce soir-là, Jen fit un saut avec une bouteille de rouge pour se faire pardonner.

Cassie ouvrit la porte, les cheveux encore mouillés de sa douche.

— Ça va, chérie ?

— Je me tiens à la verticale, j'ai les yeux ouverts, je me suis récurée et je viens de manger une banane. Ai-je gagné quelque chose ?

Jen brandit la bouteille.

— Hourra ! À moi le gros lot ! Entre, je t'en prie.

Jen s'excusa encore d'avoir été retenue par une réunion à la manque et de n'avoir pas pu faire le chauffeur.

— Oh, ne t'en fais pas, ça s'est bien passé, fit Cassie. J'ai trouvé un taxi sans problème. À ceci près que lorsque j'ai demandé au chauffeur de me laisser dormir, il a éclaté de rire et s'est mis à me raconter plein d'histoires à propos du sommeil…

Après avoir débouché la bouteille, les filles s'installèrent chacune à un bout du confortable divan rouge. Jen écouta son amie parler interminablement de sa mission. Elle était atterrée que Cassie ait pu vivre autant de choses en une quinzaine de jours, alors qu'elle était supposée être submergée de travail.

— Ma piaule, c'était une catastrophe, racontait Cassie. Le couple le plus dingue que tu puisses imaginer ! Ils collectionnent ces personnages géants en porcelaine et en costumes américains traditionnels. Il doit y en avoir une cinquantaine dans toute la maison… Le type m'a dit que sa femme et lui adoraient les changer de place la nuit, quand leurs hôtes dormaient, rien que pour les faire flipper et leur faire croire que la maison est hantée ou les poupées possédées… ! Quel couple de malades ! Dire que ces deux-là ont choisi de louer des appartements à quelques pas des deux plus dangereuses plaques tournantes du trafic de drogue que j'ai jamais eues à longer à pied ! Un matin, deux putes m'ont empoignée par le bras en me demandant de trancher leur dispute à propos du tarif à exiger pour une branlette… Je peux te dire qu'après ça, j'ai dépensé une petite fortune en taxis ! Bon sang, Jen ! s'esclaffa Cassie. Que veux-tu répondre à ce genre de question ? En tout cas, je leur ai dit qu'elles cassaient le marché en ne tarifant ce type de prestation qu'à 5 misérables dollars ! Et comme si ça ne suffisait pas, j'étais réveillée toutes les nuits par le couple de vieux de la chambre d'à côté qui donnaient la chasse au chat de la maison à 5 heures du matin. Les salauds !

Jen la dévisagea. Les aventures de Cassie la rendaient-elle envieuse ou se sentait-elle au contraire soulagée de passer ses journées avec des créatures qui, au pire, lui soufflaient des bulles dessus ?

— Mais la meilleure, enchaîna Cassie, c'est que le dernier soir, on nous a entraînés dans un cinéma porno qui passait *Les hôtesses de l'air !* La vache, je n'arrivais pas à croire que nous allions mater un porno en 3D ! Hilarant, non ?

Ça, Jen n'en était pas sûre… Dans le domaine de la 3D, son expérience se limitait à un court-métrage représentant des poulets morts qui tombaient au bout d'un tapis roulant. Jusqu'à présent, il ne lui serait pas venu à l'esprit que cette technologie puisse être mise au service de l'érotisme. Son imagination n'eut pas le temps de s'en mêler, Cassie était lancée.

— Je pensais vraiment que ça allait être génial. Même s'il s'agissait davantage d'érotisme que de porno, précisa-t-elle avec un soupçon de déception à Jen qui en resta bouche bée, mais se garda de tout commentaire. Se recevoir un jet de sperme poisseux dans l'œil, ça n'est déjà pas terrible en vrai, mais imagine que ça se mette à jaillir d'un écran !

Jen réprima si violemment son rire qu'elle en eut le hoquet.

— Mais en fait, les passages pornos du film n'étaient pas en 3D. Ce qui était en relief, c'était des trucs bizarres comme la salière et la poivrière. Quant au reste, il y avait plein de gros plans sans intérêt sur les derrières tout blancs de pin-ups des années 60, portant des slips démesurés. Bizarre de chez bizarre… Le type qui nous avait emmenés m'a dit que le tournage datait de 1969 et qu'après montage, le métrage faisait 69 minutes…

Incrédule, Cassie secoua la tête en se resservant du vin.

Je te pardonne d'avoir maté du porno. Je suppose qu'on doit tous en faire l'expérience un jour ou l'autre...

— Oh, et j'ai décidé de me mettre au Tai-chi ! Tous les matins quand j'allais travailler, je voyais des types qui pratiquaient ça sur un petit terrain de basket-ball, et ça avait l'air trop cool !

— Quoi ? Tu es sérieuse ? Tu as toujours dit que tu étudierais un art martial bien violent, du sérieux, pour pouvoir te défendre !

Cassie eut l'air chagrinée.

— Mais ce sera utile aussi ! Si on m'agresse, je me défendrai au ralenti, c'est tout !

À leur quatrième rendez-vous, Paul passait déjà quelques soirées en semaine et presque tous les week-ends chez Cassie. Si une relation s'annonçait aussi simple et naturelle, se disait-il, pourquoi ne pas plonger la tête la première ? Ça en valait le coup. Convaincue de n'avoir pas plus de trois mois devant elle avant que la vision rose bonbon de Paul ne s'estompe et qu'il s'avise qu'il avait commis une terrible erreur, Cassie savourait pleinement chaque jour. Elle pensait sincèrement ne pas mériter quelque chose d'aussi *bon.* Chaque fois qu'il avait pour elle un geste sympa, cela devenait plus dur pour la jeune femme. Ne la voyait-il donc pas telle qu'elle était ? Bientôt, Paul serait avec une nana digne de lui, et elle, il lui resterait le souvenir de cette parenthèse bizarre, inespérée... de cette transgression passagère.

Tandis que Cassie s'installait confortablement dans son pessimisme habituel, la compagnie de Paul basée à Londres put prolonger son visa. Ayant joint son supérieur, il avait évoqué les progrès de sa mission, puis abordé la question d'une possible affectation provisoire à l'étranger. Petit à petit, il en arrivait à la véritable raison de son appel. Mais il n'eut pas à en dire plus.

— Allez, Paul, dis-moi tout : c'est quoi son petit nom ? lui lança finalement son employeur.

Paul sourit.

— Cassie. Et si tu veux la mettre en rogne : Cassandra.

— Et tu veux vraiment la mettre en rogne ?

— Mon Dieu, non ! Elle me les couperait !

— Alors tu as décidé de rester là-bas ? Pour une fille ?

— Oui.

— Est-ce qu'on te reverra ici un jour ? Ce n'est pas pour te mettre la pression, que je te dis ça, hein ! C'est juste que ça en fera un de moins avec qui partager le gros lot quand on aura gagné au loto !

Soudain, le bureau manqua énormément à Paul. Un accès de nostalgie assez fort pour lui faire momentanément regretter ses deux heures quotidiennes de transports en commun, l'air irrespirable, les rues noires de monde, et les apéritifs sauvages...

— Je ne sais pas... Pourrions-nous en reparler dans six mois ?

— Pas de problème. Tu sais, Paul, je trouvais assez admirable que tu sois resté un célibataire endurci. Ça me réconfortait, je t'assure. Je prends ça comme une attaque personnelle...

— Ne t'inquiète pas, va. Selon toute probabilité, elle m'aura quitté d'ici un mois pour un tocard qui aura la moitié de mon QI et le double de mon salaire !

— Dans ce cas, je ne perds pas espoir.

Encore cinq minutes pour se mettre au courant des derniers potins du bureau, et l'appel fut bouclé. Paul s'était déjà décidé à taire à Cassie qu'il avait organisé son séjour auprès d'elle. Il détestait lui mentir de la sorte, mais il savait que si elle apprenait combien il était convaincu que ça pouvait marcher entre eux, elle fuirait aussitôt.

CHAPITRE 22

Avant même la fin de l'année, Mac avait commencé à aider Paul dans ses démarches auprès de l'Immigration, et le bureau de Paul à Londres avait arrangé les choses afin qu'il puisse rester trois mois à plancher sur des projets sans avoir à rentrer au pays plus d'une semaine d'affilée.

Cassie prend un bain le soir vers 20 heures. Si la musique et la télé sont éteintes, j'entends l'eau couler, une bouteille qu'on débouche, et des bribes de conversation. Si l'un d'eux est au téléphone, j'entends tout.

Son indépendance ne manquait pas à Cassie. En revanche, ce qui lui manquait, c'était de pouvoir boire, se défoncer, pleurer, hurler et se comporter comme une sale mioche trop gâtée. À présent, elle avait un public. Quelqu'un de normal. Elle devait donc être sage, et ça lui pesait.

Pire, elle avait conscience d'être en train de tomber amoureuse et son côté obscur la poussait continuellement à prendre les chemins de traverse. Jen n'avait de cesse de lui répéter que c'était parfaitement naturel, et qu'elle finirait par se faire à l'idée qu'elle était tombée sur un chouette type et qu'elle méritait d'être heureuse. Cassie était bien obligée d'être d'accord, mais regrettait quelque peu cette colère particulière qui la dynamisait par le passé. Avec elle s'était aussi dissipé le feu sacré qui l'avait animée. Elle se sentait castrée.

Même avec ce drap sous moi, je sens encore le froid du béton, et le mur paraît un peu humide. Je renifle presque constamment maintenant, et je dois étouffer tous mes éternuements et mes toussotements. Chaque fois que des bruits de pas approchent de la porte, je file à quatre pattes vers ma cachette. Personne encore ne s'est arrêté devant ce que j'en suis venu à considérer comme ma porte.

Un mois durant, j'ai observé l'immeuble à partir du petit parc, de l'autre côté de la rue, et je sais maintenant que quatre jours par semaine, Paul s'en va tôt et revient tard. Le vendredi, il est de retour en milieu d'après-midi. Alors, Cassie et lui s'accouplent. Je les entends toujours. Ensuite, ils ressortent faire des courses pour le week-end, ils achètent à manger et beaucoup de vin. Parfois je me faufile à l'intérieur, parfois je vais observer.

Je ronge mon frein.

Par un triste après-midi hivernal, Cassie travaillait tard à une série de clichés qui la rendaient folle. Elle s'était mise à râler dès qu'elle avait découvert l'affreux logo représentant un oiseau au plumage loufoque, et utilisant la police de caractères la plus moche qui soit. Son client, un certain Randall, était une espèce d'opportuniste magouilleur qui avait monté un trafic de vieux 4x4 en ruine. Rendre crédibles les photos des membres de son équipe, des rebuts ravagés, relevait de l'exploit. Prenant tout juste le temps de remplir avec agacement son verre de vin, Cassie espérait que la grippe de la graphiste en chef tournerait au scorbut rien que pour la punir de lui avoir collé sur le dos ce job ingrat. Elle haïssait ce boulot. Elle n'aspirait qu'à retourner à ses photos. La voyant pester et fulminer, Paul se garda bien de demander quoi que ce soit. Rien que de penser à l'heure indue à laquelle il devrait se lever le lendemain, il se sentait déjà épuisé. Assis face à sa présentation, se demandant si ça allait enfin lui rentrer dans la tête, il réalisa soudain qu'il avait laissé ses notes à l'université.

— Et merde !

Cassie releva le nez de son travail. Son expression suggérait que si quelqu'un ici passait une soirée pourrie, ce n'était pas lui. Elle se radoucit quand il lui sourit ; haussant le sourcil, elle pivota sur son fauteuil, un pied replié sous l'autre jambe, et reprit son verre en main.

— J'ai laissé mes notes à l'université, dans le bureau de Mac, expliqua Paul.

Lançant une main derrière elle, Cassie tira le rideau pour vérifier le temps qu'il faisait.

— Il neige encore. Tu ne peux pas sortir maintenant. Tu ne pourrais pas les récupérer demain matin sur le trajet de l'aéroport ?

Ouais, sur le trajet de l'aéroport…

L'idée de se lever encore plus tôt que 5 heures du matin n'avait rien de folichon. Mais tout bien réfléchi, s'arracher au confort douillet de son fauteuil pour s'emmitoufler dans d'innombrables couches et sortir braver des températures polaires, ça ne le tentait pas plus.

— Tu as raison, sourit-il, avant de demander, dans un élan de courage : alors comment va le… ?

Elle le coupa en se détournant vivement pour foudroyer le moniteur du regard.

— Ne pose même pas la question ! pesta-t-elle. Si ces gens étaient un rien plus laids, je n'aurais pas d'autre choix que de leur dessiner un sac sur la tête, histoire de cacher leurs têtes de mutants !

Éclatant de rire, Paul traversa la pièce, l'enlaça par les épaules et lui embrassa les cheveux. Elle ne réagit pas. Il releva le nez, et son regard tomba sur l'écran.

— *Ouch !* fit-il dans la chevelure de Cassie. Mon Dieu que ces gens sont laids ! Même pour acheter un 4x4 pourri, je ne vois pas qui pourrait leur faire confiance !

Il esquiva un coup de poing qui lui effleura les côtes.

Une fois à distance, il lui fit un clin d'œil, puis alla passer un coup de fil. Cassie tendit l'oreille. Une vieille habitude, dont elle n'arrivait pas à se défaire.

Comme elle l'avait expliqué à Paul, un ex-petit ami volage avait toujours prétendu avoir sa mère malade au téléphone alors qu'en fait, il avait entretenu des relations avec une ribambelle de nanas tout le temps qu'avait duré leur piètre histoire. Dire à Paul que ça l'avait bouleversée l'avait fait se sentir hypocrite. Celui-ci s'était contenté de hocher la tête et depuis lors, ne la laissait jamais se demander qui était en ligne.

— Mac ? Salut, c'est Paul. Oui, je sais. J'étais justement sur le point d'aller me coucher… 5 heures du mat', ça va être mortel…

Un long silence suivit, ponctué par quelques « ouais » et un éclat de rire tonitruant. Cassie sourit.

— Non, j'ai laissé mes notes dans ton bureau, alors pourquoi n'irais-je pas te chercher demain matin, nous passerions par l'université et mangerions quelque chose en chemin, qu'en dis-tu ? Comme ça, on ne paiera qu'une place de parking à l'aéroport... Salopard ! Je veux être au premier rang quand Karma viendra botter tes petites fesses rebondies de suffisance ! OK, on se voit à l'enregistrement à 6 heures, alors. Et pour la peine, tu m'offriras le petit déjeuner.

Raccrochant, Paul revint dans le bureau.

— Mac veut paresser une heure de plus au pieu, et pour ça, il est prêt à payer quatre jours de parking à l'aéroport. Je le hais !

Bâillant à s'en décrocher la mâchoire, il s'étira longuement, rejoignit Cassie, se pencha, enroula une main légère autour de son menton et l'embrassa pour lui souhaiter une bonne nuit.

— Ne travaille pas trop tard, mon ange.

Il l'embrassa de nouveau, savourant le goût du vin rouge chaud sur ses lèvres, puis alla se coucher. Seul dans l'obscurité de leur chambre, il mit son portable sur vibreur, et le glissa sous son oreiller. Ôtant ses vêtements, il s'installa dans le lit du côté de Cassie pour lui chauffer la place, et quand il devint possible d'étendre ses jambes sans avoir l'impression de geler, il se glissa du sien. Il n'entendit pas Cassie venir se coucher à son tour, mais sentit les orteils glacés de la jeune femme quand elle les colla contre les siens. Il se retourna alors pour la serrer contre lui.

Lorsque son oreiller se mit à vibrer à 4 heures du matin, il se glissa hors du lit aussi doucement que possible, dans le froid glacial qui précédait l'aube. Mais tant de précautions étaient bien inutiles : Cassie ronflait comme un broyeur à ordures. Grelottant, il passa dans la salle de bains, heureux qu'une douche brûlante puisse le préparer à affronter le froid polaire de la cuisine.

Une demi-heure plus tard, les mains serrées autour d'un maxi café, il se sentait aussi humain que possible quand on s'est levé à une heure pareille. Ouvrant la petite boîte, il préleva doucement la fleur de son carton et retourna dans la chambre où Cassie, ayant changé de tempo, ronflait maintenant comme un sanglier blessé tentant de se faire entendre par-dessus le rugissement d'une avalanche. Il posa l'orchidée sur l'oreiller, et, repoussant de son front des mèches de cheveux emmêlées, déposa un dernier baiser sur la joue de sa belle endormie. Sa respiration s'apaisa et elle se roula en boule. À cet instant, plus que tout au monde, il aurait voulu se glisser de nouveau dans le lit, la reprendre dans ses bras et hiberner jusqu'à la fin de l'hiver. Savoir que, non loin de là, Mac était encore sous les draps, serré contre sa femme, détermina Paul à engloutir le petit déjeuner le plus gargantuesque et le plus onéreux possible.

Il attrapa ses sacs, ses clés et une gourde d'eau bouillante pour la serrure de la voiture. Enfilant ses gants, ajustant son écharpe et son bonnet à pompon, il ouvrit la porte, remonta le couloir, descendit l'étage jusqu'au hall d'entrée et, après une profonde inspiration, sortit de l'immeuble.

— Putain de bordel ! grinça-t-il entre ses dents serrées.

Il se jura aussitôt que, sous quelque prétexte que ce fût, quelles que soient les circonstances, jamais plus il ne se lèverait avant le soleil aussi longtemps qu'il vivrait. Le soleil hivernal, ça n'allait pas loin, mais c'était déjà ça. L'hiver de Toronto était bien l'une des choses qui lui faisaient regretter la vie londonienne.

Il descendit d'un pas prudent les marches verglacées du perron puis, les épaules nouées par le froid, foula jusqu'à sa voiture la neige qui crissait sous ses semelles. Ayant dégrippé la serrure, il s'installa vivement au volant, stupéfait qu'il puisse faire encore plus froid à l'intérieur du véhicule qu'à l'extérieur. Dès que son postérieur entra en contact avec le cuir glacial, il lui parut se congeler instantanément. Tremblant, il maudit sa distraction de la veille qui lui coûtait une heure de bon sommeil au chaud. Lorsqu'il introduisit et tourna la clé de contact, le moteur parut aussi ravi que lui de ce réveil matinal. Mais, au prix d'encouragements murmurés, de prières et même de menaces, il réussit à faire démarrer l'engin et bientôt, leurs carcasses frigorifiées foncèrent de concert en direction de l'autoroute. Il changea de voie à la dernière minute en se souvenant qu'il devait d'abord faire un saut à l'université.

La route qu'il empruntait avait déjà été déneigée, et Paul eut un élan de commisération envers le pauvre type qui avait été contraint de se lever encore plus tôt que lui.

Pendant le trajet, il ressentit un élan de fascination pour la beauté désertique du monde hivernal. Le croissant de lune évoquait comme une déchirure insouciante dans le velours bleu du ciel et, à chaque arbre incliné avec déférence vers la terre sous le poids de la neige, il comprenait finalement d'où Disney puisait son inspiration. Immobilisé à un feu rouge, il nota également deux choses. D'une part, qu'il fallait absolument que Cassie et lui réussissent à s'arracher de leur couche un de ces matins pour aller *incognito* faire des bonshommes de neige obscènes en face de l'immeuble avant d'effacer leurs traces. D'autre part, le fait qu'il y ait des putains de feux rouges à 4 heures du matin prouvait l'existence des microdémons.

C'était le truc de Cassie, ça, les microdémons. Selon elle, dans les profondeurs oubliées des abysses infernaux, dans les cloaques infects, saturés de soufre et d'humidité, que même les agents des impôts et de la compagnie de téléphone jugeraient inhospitaliers, des microdémons désœuvrés se promènent, grattant leurs plaies, jouant au poker et recevant par fax des listes de petites corvées méchantes à effectuer. Leur job consiste à faire bisquer les pauvres mortels, à les rendre tout doucement fous grâce à des contrariétés quotidiennes et de petites folies passagères. Ça les amuse follement, les microdémons, de faire bisquer le monde. Dès le début de leur relation, quand elle faisait encore des efforts sincères pour le faire fuir, Cassie avait évoqué les microdémons devant Paul. Un matin, au réveil, il avait commis l'erreur de lui demander si elle avait bien dormi. Et elle lui avait répondu.

Cette nuit, j'ai rêvé que j'étais consciente... Pendant huit heures, j'ai rêvé que j'avais beaucoup de mal à trouver le sommeil. J'ai tout essayé, mais je n'arrivais pas à flotter, à m'enfoncer... Et maintenant, je suis réveillée. Crois-moi, en ce moment même, des microdémons en pleine convulsion infernale se frappent dans les mains les uns les autres, ces petites merdes fétides !

Paul l'avait dévisagée, ne sachant s'il devait éclater de rire, courir se réfugier dans les collines ou compatir. Elle lui avait donc expliqué. Selon elle, de nombreux détails de la vie courante prouvaient l'existence des microdémons. Par exemple le fait de se choper tous les feux rouges quand on a un vol à prendre. Ou lorsqu'on se confectionne son sandwich préféré avec ce qu'il reste d'ingrédients au frigo et qu'au moment d'y mordre à belles dents, on aperçoit une petite tache bleue de moisissure sur le pain. Ou alors lorsqu'on va au supermarché, qu'on fait la queue aux caisses pendant un siècle, avant de se rendre compte qu'on a laissé sa carte bleue dans un autre jean. Ou encore quand on enregistre le dernier épisode de sa série favorite en se trompant de chaîne et qu'on se retrouve avec un documentaire animalier à la place. Ou lorsqu'on réalise en plein rendez-vous que c'est parce qu'on a mis son string de travers que le sang ne circule plus dans la jambe gauche. Reprenant son souffle, Cassie avait souri, ajoutant qu'elle était peut-être en tort sur cette dernière remarque, mais que pour tout le reste… Elle avait alors surpris son reflet dans le miroir.

« *Et voilà que j'ai un teint de poubelle… ! Si tu veux me quitter, c'est le moment ou jamais. Avec moi, tu n'auras jamais mieux.* »

Paul sourit tout seul dans sa voiture en se rappelant que ce matin-là, tous deux étaient arrivés très en retard à leurs bureaux respectifs, un air béat gravé sur le visage. Une fois au travail, il s'était rendu compte qu'il avait la braguette ouverte et la chemise boutonnée de travers.

Il devait se concentrer sur sa conduite. Penser à Cassie toute nue ne servirait qu'à lui donner envie de rebrousser chemin et de tout envoyer balader, son voyage et le reste avec. Il tenta d'imaginer par avance ce que serait sa nouvelle présentation, mais son esprit vagabondait trop, et il se surprit à se demander s'il y aurait un podium dans ce stage, de quelle taille, si Cassie pourrait s'y dissimuler et… Ça ne l'aidait pas du tout. Il mit la radio et fut aussitôt victime d'une transe de roucoulements de Céline Dion. Toute pensée sexuelle le quitta instantanément. Voilà un remède des plus efficaces contre le désir !

Le parking universitaire était désert, à l'exception de deux tas de ferraille qui devaient être ceux de l'équipe de nettoyage.

Paul freina près du bâtiment, et abandonna son propre tacot après qu'il eut dérapé sur une plaque gelée et se fut immobilisé en travers de deux places.

Des lumières brillaient au rez-de-chaussée, dont une près de l'entrée. Au moins, le concierge serait dans les parages et lui ouvrirait. Se préparant à affronter les bourrasques glaciales, Paul ouvrit la portière.

Il neigeait de nouveau, et tout ce qu'il désirait, c'était courir se réfugier au chaud le plus vite possible avant de retrouver Mac pour qu'il lui offre un de ces fameux petits-déjeuners canadiens capables de rassasier un sumotori sortant de l'entraînement.

Bien avant de rencontrer Cassie, l'attrait de ces méga-déjeuners attachait déjà Paul au Canada. Il se souvenait de sa toute première expérience dans ce domaine comme d'un moment de révélation quasi-mystique. Avant d'atteindre Toronto, il avait fait un petit détour le long de la côte en direction de Montréal, où des types dans un bar l'avaient invité à une fête familiale. Il était trop soûl pour savoir où il se trouvait, mais ça se passait dans un splendide immeuble sans ascenseur, dans un quartier très coquet de la ville. Les portes et les fenêtres étaient ouvertes afin de combattre l'humidité estivale, mais ça n'avait pas fait grande différence. Des ventilateurs tournaient dans toutes les pièces. Le salon avait été dégagé pour faire une piste de danse improvisée, il y avait des sièges moelleux, et des tas de coussins entassés sous les fenêtres ouvertes. Pour parvenir à la cuisine, il fallait traverser un antre regroupant le poste TV, des sculptures et deux vivariums abritant chacun de beaux reptiles. Après avoir passé près d'une heure à essayer de nourrir un lézard avec des chips, il s'était rendu compte qu'il avait pris un simple rocher pour l'animal, et que celui-ci était resté caché au fond du vivarium. Ivre et vexé, Paul avait estimé que le lézard l'avait regardé de travers. À son arrivée, il avait découvert la spécialité de la maîtresse des lieux : des râteliers d'éprouvettes longues de trente centimètres, remplies aux trois quarts de vodka. Le dernier souvenir qu'avait Paul de cette nuit-là, c'était d'avoir avalé une cinquième éprouvette avant de vomir au fond du jardin. Il avait peut-être aussi dansé, mais il n'était plus très sûr.

Ces souvenirs le faisaient toujours frémir, et il ne devait pas être le seul dans ce cas, car, il le savait, il dansait comme un pantin désarticulé, et ce n'était pas beau à voir… Le lendemain matin, il s'était réveillé roulé en boule sur le divan, sous une couverture. Un chat tigré le toisait, curieux. Une façon assez douce d'accueillir une gueule de bois mémorable…

Il avait été invité chez Cora pour un petit déjeuner de survivants, et c'est là que sa conversion s'était opérée… Honnêtement, si son plat lui avait été présenté par des chérubins, au son mélodieux des harpes et sous un halo de lumière céleste, il n'en aurait pas été surpris le moins du monde… On distinguait à peine le motif de l'assiette sous les six tranches croustillantes de bacon et les quatre œufs au plat, les quatre saucisses, la montagne d'appétissantes frites maison, de pommes de terre sautées, de champignons, de tomates et de haricots… Puis la corbeille de pain grillé était arrivée. Puis le café. Puis le jus d'orange, puis la corbeille de petits pains chauds, puis la coupe de fromage blanc crémeux au lait entier…

Paul avait failli demander la main de la divine créature.

Rien que d'y repenser, il en avait encore l'eau à la bouche. Il sortit de son véhicule, se dirigeant vers la petite haie délimitant la sortie du parking, et le perron principal.

Mac avait réglé son alarme à la même heure que Paul, mais il n'avait aucune intention de quitter si tôt son lit douillet. Marmonnant quelque chose d'inintelligible, Jen s'était retournée quand Mac avait bougé, mais il était juste resté dans le noir, à la regarder dormir. Il adorait la quiétude du monde au petit matin. S'il s'était trouvé chez ses parents, il aurait piqué une tête dans le lac et nagé, avant de se prélasser dans le sauna. Mais ici, ce qu'il aimait, c'était de réveiller Jen à sa manière, c'est-à-dire en la faisant suffisamment crier pour alerter tout le voisinage, après quoi tous deux pointaient au travail avec une heure de retard. Tranquille, il savourait à l'avance ce qu'il se proposait de faire et, suffisamment excité, un sourire coquin aux lèvres, il se glissa sous les couvertures telle la baleine filant à fleur d'eau dans l'océan…

CHAPITRE 23

Comme toujours, Cassie était à la bourre, et tenter de faire cinq choses à la fois ne l'avançait guère. Paul l'appellerait juste avant l'embarquement ; elle fourragea dans son sac à main pour s'assurer qu'elle avait bien son portable sur elle.

Quand il devait s'absenter, il laissait toujours une orchidée fraîche sur son oreiller en guise de baiser. Elle avait glissé la fleur dans ses cheveux. La veille, elle avait remarqué la fleur dans la glacière en y chapardant une cuillerée de glace Ben & Jerry's, mais n'avait rien dit. Baissant les yeux, elle s'aperçut qu'elle avait passé deux bottes différentes.

— Merde, merde et remerde ! maugréa-t-elle.

Elle s'assit par terre dans l'entrée, et les retira toutes les deux, ne sachant quelle paire choisir. Elle était censée récupérer cette planche contact chez son designer à l'autre bout de la ville dans vingt minutes, et n'avait déjà plus aucun espoir d'y parvenir dans les temps.

— Les bottes noires… Non, les marron ! Non…, les noires.

Tenant une botte de chaque paire dans ses mains, elle les comparait dans la lumière. Puis elle les approcha de ses cuisses, évaluant le contraste obtenu avec le rouge de sa jupe.

— Aucun doute : les noires !

Mais alors qu'elle passait la première botte noire, elle changea de nouveau d'avis.

— Je suis morte, morte, et remorte !

Ayant enfilé les bottes marron, elle dévala l'escalier, ouvrit à la volée la porte d'entrée de l'immeuble et, sans un regard vers l'extérieur, mit le pied dans l'embrasure pour l'empêcher de se refermer, le temps de fouiller rapidement les profondeurs de son sac. Il s'agissait de vérifier une dernière fois la liste des choses à ne pas oublier.

— … clés, chewing-gum, clés, portable, agenda, argent, clés, sucre candi… et tout le toutim…

L'important, c'était les clés. Paul étant en conférence, elle aimerait, au moins cette fois-ci, ne pas devoir rappeler Jen en avouant qu'elle s'était enfermée dehors une fois de plus.

D'ailleurs, ce n'était pas qu'elle s'inquiétait pour le vol de Paul, mais de savoir qu'il allait passer trois nuits d'affilée dans un hôtel de grand standing… Il y aurait des femmes là-bas. Pas une seconde, Paul ne lui avait donné la moindre raison de penser qu'il puisse s'intéresser à d'autres qu'elle. Cassie lui faisait confiance. Oui, elle lui faisait confiance. En fait, si elle se le répétait assez souvent sans aucune pause, elle parvenait à s'en persuader… Elle en avait conscience cependant, il ne s'agissait pas de Paul mais bien d'elle. Oui, elle l'aimait, cela ne faisait aucun doute même si le concept suffisait à lui flanquer une trouille de tous les diables. En revanche, l'objet de tous ses doutes, toujours, c'était sa conception à elle, légèrement subjective, de la fidélité. Elle le savait, si *elle* s'absentait pour un long week-end de beuverie, de lits doubles et de salles de bains marrantes, elle n'était pas sûre de pouvoir rentrer la conscience tranquille… Elle n'avait encore jamais eu à tester la théorie, et l'idée qu'elle ait pu trouver quelqu'un à qui rester désormais fidèle ne cessait pas de la faire flipper… Cependant, penser à Paul la faisait sourire. Son designer attendrait.

Enfin assurée qu'elle avait bien ses clés, elle voulut sortir de l'immeuble et vit alors les deux hommes qui lui bloquaient le passage. Cillant au soleil hivernal, elle sourit au plus âgé des deux, puis baissa les yeux sur ses bottes en lâchant :

— J'aurais dû porter les noires, c'est ça ?

CHAPITRE 24

Paul revint à lui sur le sol glacial, d'abord conscient d'un martèlement aigu à l'arrière du crâne. Demeurant un instant immobile, il combattit la nausée, et tenta de remettre de l'ordre dans ses pensées. De retrouver n'importe quel détail qui aurait pu l'aider à comprendre pourquoi il gisait à présent sur le macadam gelé... Quand il essaya de baisser les yeux, une douleur infernale le saisit, qui aurait pu lui arracher un cri, si elle n'était venue de tant de zones à la fois qu'il fut au bord de reperdre conscience.

— Je ne tenterais pas de bouger si j'étais toi, fit une voix désincarnée. La douleur t'étreindra bien assez vite.

Les sens pourtant émoussés par le froid intense du petit jour, Paul réalisa qu'il était sur le point d'être complètement ankylosé. Il n'osa plus remuer un cil. Il avait la tête tellement inclinée vers l'arrière que son champ de vision se réduisait au vert-noir dense des arbres et à un minuscule morceau du ciel orageux.

Il tenta de forcer son cerveau embrouillé à comprendre. Ses visites à l'université n'avaient été qu'occasionnelles, mais il savait tout de même que le seul bois, dans les parages, s'étendait à l'arrière des bâtiments administratifs. Et qu'un homme ait pu l'y traîner paraissait improbable. Le *pourquoi* s'imposa brièvement à son esprit avant que Paul ne le repousse brutalement.

Il sentait contre l'arrière de son crâne une écorce rugueuse, et ne distinguait pas les lumières du bâtiment le plus proche. Ils devaient donc être de l'autre côté du bois, près de l'autoroute, à quatre cents mètres au moins du parking. Même s'il avait pu hurler, Paul doutait que quiconque puisse l'entendre. Il tenta d'inspirer assez d'air pour faire vibrer ses cordes vocales, mais une douleur aiguë lui vrilla tous les muscles du visage et du cou.

— Je ne tenterais pas de parler non plus, fit son agresseur.

Luttant contre un début de panique, Paul en fut réduit à haleter, le souffle court.

Skirving finit de lui ligoter les mains au tronc de l'arbre, puis revint face à lui.

Paul fouilla sa mémoire. Il se souvenait de s'être garé n'importe comment, puis dirigé vers l'entrée de l'université… Il n'avait rien vu, entendu personne…

Skirving se dressait devant Paul, le dévisageant, puis il passa des gants en latex avant de tendre le bras vers un sac à dos bleu ordinaire suspendu à une branche basse. Il en sortit une sacoche de voyage en cuir pâle que Paul reconnut. C'était la sienne. Il fixa la tache de vin rouge, sur l'avant du cartable… À l'aéroport de Schipol, il sommeillait sur son haut tabouret de bar quand il était assez revenu à lui pour entendre son nom dans les haut-parleurs. C'était le dernier appel avant l'embarquement… Il avait bondi, renversant son verre sur sa sacoche et sur une paire de chaussures qu'il aimait beaucoup. Il avait couru jusqu'à sa porte d'embarquement sur une distance au moins aussi longue que la ville d'Amsterdam…

Paul écarquilla les yeux. Il connaissait sans doute ce type, mais de où ? Oh, Dieu, Cassie… Bien qu'il fût complètement gelé, il en eut la chair de poule partout. Ce mec était visiblement entré dans leur appartement… La sacoche…

Plongeant la main dedans, l'homme en sortit les vieux gants de cuir noir et écarlate de Paul. Soudain conscient de l'intensité de sa frayeur et de sa confusion, celui-ci tenta de se concentrer sur ce que disait son agresseur.

— Je doute que de voir mon visage puisse t'être d'une aide quelconque… Promis, tu ne vivras pas assez pour tenter quoi que ce soit.

Paul sentit un liquide chaud s'écouler le long de sa jambe, et vit un petit nuage de vapeur nauséabond se détacher de son corps. C'était bien la première fois qu'il perdait le contrôle de sa vessie. Le type grogna et, tendant le bras, passa les doigts dans la chevelure de son prisonnier.

Paul se contorsionna, et faillit défaillir sous les élancements de douleur qui assaillirent la partie supérieure de son corps. Soudain conscient d'être mortellement gelé, il n'eut plus qu'une pensée : trouver le moyen de délier ses poignets pour que la circulation sanguine puisse reprendre… Résolu à s'en sortir, il se concentra tout entier sur cet objectif. Il se demanda brièvement si Mac était derrière cette farce, s'il allait émerger de derrière un arbre en rigolant, avec de fausses excuses ou même des photos qui resteraient pour lui un foutu mauvais souvenir… Mais Skirving reprit la parole.

— Cassie est-elle toujours au lit, Paul ? J'aime à savoir qu'elle est au chaud, en sécurité, jusqu'à ce que je puisse aller m'occuper d'elle à mon tour, tu vois ?

Oubliant instantanément Mac, Paul dévisagea le type.

La terreur lui noua l'estomac, et il prit brusquement conscience de la gravité de la situation. Il comprit également que ça ne pourrait qu'empirer... Il tenta de se concentrer sur l'homme : son visage lui paraissait familier, comme celui d'un individu qu'il aurait croisé tous les matins dans les transports en commun... De qui diable pouvait-il s'agir ?

— Voyons si je peux deviner toutes les questions stupides que tu aimerais poser, Paul... Voyons voir... D'abord, pourquoi n'arrives-tu plus à parler ? C'est ça ? Sûrement, dit-il en s'agenouillant, tendant le bras pour toucher quelque chose sous le cou de Paul, qui sentit une pression s'exercer. Ceci est une fourche d'hérétique. Ça servait à encourager les mécréants à reconnaître leurs errements. Oh, il y a de ça bien longtemps... fit-il en ricanant. C'est si simple...Il n'était pas conçu pour tuer, même s'il me semble dommage de le réserver au seul usage externe, c'est véritablement gâcher son potentiel... jugea-t-il avec un coup d'œil à Paul. En fait, quand quelqu'un abjurait, il était brûlé vif en place publique ou pendu haut et court. De belles exécutions traditionnelles, dans les règles de l'art. Les supplices comme l'empalement étaient plutôt réservés aux pervers. Ce qu'il y a de bien avec l'Inquisition, c'est qu'une mort rapide ne constituait jamais une priorité. Or, cet instrument-là est une œuvre d'art. Trente centimètres de fer avec quatre petites griffes à chaque bout, légèrement écartées exactement comme ces crochets de foire merdiques avec lesquels on ne peut jamais rien saisir... Eh bien, les quatre du sommet sont enfoncées dans les tissus mous, sous ton menton, tandis que les quatre du bas finiront par te fendre le sternum... Mais essaie de parler... Tu ne peux plus, si ? Génial. Je l'ai fait faire sur mesure. Quant à ta respiration, mieux vaudrait que tu gardes ton calme...

Le type gloussa encore. Des larmes silencieuses roulaient sur les joues de son otage.

— Accorde-moi encore cinq petites minutes de ton temps, Paul, ensuite nous passerons aux choses sérieuses, d'accord ?

Skirving disparut du champ de vision de sa victime. Mais Paul l'entendit fouler des feuilles en plastique. Quand le type réapparut, il s'étira en se frottant les mains et en martelant le sol. S'adossant à un arbre, il reprit :

— Dieu du ciel, il fait froid, hein ? Bon, pourquoi moi, pourquoi suis-je là, comment connais-tu Cassie, et patati et patata... Si je commençais par le commencement, hein ?

S'avançant pour mieux le dominer de toute sa hauteur, Skirving rouvrit la bouche mais, choqué, Paul le vit presque aussitôt perdre contenance.

— J'ai fait... j'ai perdu... Je...

Le type se détourna. Se ressaisissant, il parut presque amical.

— Ça t'arrive de regarder ces reality shows, Paul ? Tu sais, ces émissions où des parents perdus de vue depuis longtemps retrouvent leurs familles ? Depuis que je suis tout môme, j'ai toujours adoré ces trucs. Oh oui, j'adorais ça. Que d'émotion ! Ils avaient beau être de parfaits étrangers pour moi, ça me mettait dans tous mes états... Dingue, hein ?

Paul avait sa propre opinion sur la nature des dingues, mais il n'était pas en position de la partager.

— Alors plus je regardais, plus je devenais accro. Je ne pouvais même plus aller pisser avant d'avoir vu ces gens s'étreindre les uns les autres dans des larmes de bonheur, avec l'animateur qui feignait d'être aussi bouleversé, tout en se frottant les mains à la perspective des taux d'audience… Salopards sans cœur ! En tout cas, ça m'a fait comprendre que moi aussi, j'aimerais vivre des moments aussi intenses. L'idée d'être ému au point de laisser aller ses larmes devant un public chamboulé et des millions de téléspectateurs… Je voulais ressentir quelque chose d'aussi fort, vraiment. Le problème, c'est que je n'aime même pas ma famille. Alors pourquoi irais-je chercher quelqu'un que j'ai perdu de vue depuis des lustres ?

Paul fixait le type parfaitement immobile, perdu dans son histoire.

— J'ai attendu longtemps, sans que rien de si spécial ne m'arrive. Un jour, j'ai réalisé quel idiot j'étais. Pourquoi faudrait-il que des choses folles m'arrivent ? Il suffisait que les autres le croient, et fassent pratiquement tout le boulot à ma place ! Alors j'ai raconté à tous ceux que je croisais que ma femme était morte assassinée. Les gens se montraient tellement gentils, si compatissants… J'adorais quand ils me donnaient des gâteaux faits maison, quand ils m'invitaient chez eux, quand ils se mettaient en quatre pour que j'en aie le moins possible à faire. Je leur confiais qu'elle avait été mon amour d'enfance, que nous nous étions mariés très jeunes. Ils n'en étaient que plus doux et attentionnés à mon égard. Alors j'ai forcé le trait, racontant qu'elle était enceinte au moment du meurtre, que nous allions avoir trois gosses…

« Des années comme ça, Paul, et tant de gens m'encourageaient à m'ouvrir de nouveau à l'amour, à aller de l'avant…

Ils me répétaient que j'avais droit au bonheur. Ils avaient raison. J'ai donc décidé de ne plus me résigner à la solitude et de me mettre en quête d'une fille sympa pour remplacer ma Shauna, ma pauvre femme morte enceinte.

Skirving laissa échapper un rire aigu d'adolescente.

— Mais trêve de sottises, Paul ! Peux-tu croire que j'aie pensé pouvoir remplacer quelqu'un qui n'avait même jamais existé ? Et merde bon sang, quel sombre idiot je peux faire ! Comme si on pouvait remplacer comme ça une âme sœur...

Skirving secoua la tête, riant de lui-même. Puis, accroupi, il s'adressa à Paul d'une voix basse vibrante de détermination :

— Je n'avais pas compris dès le début que je m'y prenais complètement de travers. Mais j'ai tout de même fini par piger. À la minute où j'ai vu Cassie... Difficile pour une nana pareille de passer inaperçue, n'est-ce pas ? Tu le sais bien. Alors je l'ai observée, toute l'année. Et toi avec. C'est alors que j'ai réalisé ma terrible et embarrassante erreur... Quelle stupidité de vouloir *remplacer* une âme sœur... C'est bien mieux de s'en *fabriquer* une !

Pendant que l'autre parlait, Paul avait tenté de desserrer ses liens, en pure perte. Lui souriant, Skirving jeta un coup d'œil derrière le tronc de l'arbre, vérifiant que la corde n'avait pas bougé, et hocha la tête. Levant la jambe sans perdre l'équilibre, il posa un pied sur la poitrine de Paul, exerçant une pression suffisante pour que sa victime suffoque, les yeux écarquillés par la frayeur.

— Un peu d'attention, Paul... J'en ai presque fini.

Il ôta le pied de son torse, et martela à nouveau le sol.

S'arrêtant soudain, il fixa Paul. Seul un léger frémissement parcourut son corps.

— Tu devrais savoir, Paul, que si cette pauvre salope de Nell ne m'avait pas déçu à ce point, je n'aurais jamais eu à continuer et je n'aurais jamais découvert Cassie. Alors, c'est à elle que tu dois en vouloir et pas à moi, pour ce qui va se passer. Et sois réconforté de savoir que maintenant que j'ai compris mon erreur, je m'y prendrai comme il faut. Cassie ne me décevra pas, affirma-t-il avant de marquer une pause, jetant un coup d'œil au loin, entre les arbres. Ce serait moche…

S'avançant, l'homme repoussa encore en arrière la tête de Paul, puis écarta les pointes en fer de sous son menton, relevant soigneusement de son torse l'autre extrémité. Dans un hoquet, Paul inspira un grand coup, dégoûté de voir son propre sang dégouliner des pointes en fer. Avant qu'il puisse tenter quoi que ce soit, une boule de chiffon lui fut enfoncée dans la bouche et du chatterton fut enroulé autour de sa mâchoire pour la maintenir en place. Puis Skirving tendit les mains derrière l'arbre pour couper la corde liant les poignets du prisonnier. Paul tomba sur le flanc, ses membres ankylosés ne lui étant plus d'aucun secours.

Du bout de ses bottes, Skirving poussa sa victime sur le dos au centre de la vaste bâche de plastique déployée tout autour de l'arbre. Debout au-dessus de Paul, une cheville contre chacune de ses cuisses, il tira d'une poche un scalpel qu'il tint sous ses yeux jusqu'à ce que ses pupilles se dilatent de terreur. Un si petit croissant argenté… Ça paraissait ridicule de le considérer comme une arme, mais le regard du type ne laissait planer aucun doute sur ses intentions… Paul fondit de nouveau en larmes.

Penchant la tête, Skirving le contempla quelques instants.

— Il faut voir la situation dans son ensemble, Paul. Je voudrais que tu y réfléchisses, là, maintenant. Essaie de voir le monde tel qu'il devrait être. Tel que je le vois. Bien sûr que je vais te torturer. Je pourrais te tuer tout de suite, mais j'ai été très patient, et ça fait bien longtemps que je n'ai plus vécu de bons moments... Tu es le premier type à qui je raconte tout ça, tu sais ? Si ce n'est pas un lien, ça ! s'exclama-t-il en riant. Alors, bon, tu vas connaître des souffrances atroces. Mais la mort viendra bien assez vite t'en délivrer. Ensuite, je représenterai le monde entier aux yeux de Cassie parce que j'ai finalement réalisé que je m'y prenais mal dès le départ. C'est vraiment humiliant...

« J'ai enfin compris qu'il fallait qu'elle en passe par ce que j'ai vécu. Sauf que dans son cas, ce sera pour de vrai ! Elle me comprendra mieux que quiconque dans tout l'univers. Quand elle apprendra ce qui t'est arrivé, c'est moi qui sécherai ses pleurs, qui la réconforterai et qui guérirai ses blessures. Elle en viendra à m'aimer pour ça, car elle trouvera en moi la seule et unique personne au monde capable de la comprendre. Sa vie est tellement superficielle aujourd'hui... Quelle petite salope puérile, égoïste et manipulatrice elle peut faire parfois, n'est-ce pas ? Peut-être trouvais-tu que ça faisait partie de son charme ? Elle a besoin d'être recadrée, et moi seul pourrai rectifier son ordre des priorités. Je suis sur le point de valider son existence. Et le seul moyen pour moi d'y parvenir, c'est de t'ôter la vie.

Paul était resté parfaitement immobile pendant toute la péroraison du type, en se demandant ce qu'il pouvait bien tenter, faire ou atteindre afin de gagner un peu de temps, de se donner la plus petite chance... Mais l'hypothermie qui gagnait du terrain lui engourdissait l'esprit, et le débit incessant de l'autre avait quelque chose d'hypnotique. Il s'efforçait de retrouver des sensations dans les bras, dans les mains, mais ses chairs, d'une lourdeur mortelle, ne réagissaient plus. Alors que la conscience menaçait de l'abandonner, il sut qu'il allait mourir sans avoir opposé la moindre résistance.

— Je suis gelé, pas toi ? Il nous faudrait un peu de chaleur, tu ne crois pas ?

Sur ces mots, il s'accroupit, délaissant son scalpel au profit d'une paire de ciseaux, dans sa poche gauche. Il tailla dans les vêtements de sa proie et en quelques instants, Paul fut nu.

Reprenant le scalpel, d'un geste vif, Skirving l'enfonça juste sous l'os iliaque et descendit le long de la jambe jusqu'au-dessus de la cheville. Sous son bâillon, Paul hurla. Calmement, le type se pencha et se réchauffa ostensiblement les mains à la vapeur produite au contact du sang chaud avec l'air gelé.

Lorsque Skirving incisa son autre jambe de même façon, Paul hurla sans pouvoir s'arrêter, mais ne perdit pas conscience. Il aurait voulu lâcher prise, et laisser le fou agir à sa guise, mais malgré le choc, son esprit lui rappelait constamment que ce type connaissait Cassie. S'il se présentait devant la porte, elle risquait de le laisser entrer chez eux sans réfléchir. Paul ne pouvait pas s'abandonner à la mort sans réagir, et livrer Cassie à un triste sort... Il devait l'avertir, la protéger. Il dut se convaincre qu'il supporterait n'importe quoi s'il lui restait la moindre chance de pouvoir rentrer à la maison.

Alors que son sang giclait dans la neige en traînées écarlates, son bourreau paraissait fasciné par la lente propagation des ruisseaux rouges sur le sol verglacé. S'apprêtant à poursuivre son ouvrage, il se ravisa soudain, et se redressa. Un instant, un glorieux instant, Paul crut que l'autre renonçait, qu'il allait le libérer. Que dans sa folie, il se montrerait incapable d'aller jusqu'au bout… Mais il se trompait.

L'homme s'étira, tourna le cou d'un côté puis de l'autre, puis se pencha tout près du visage de sa victime.

— Je vais retirer ton bâillon, car il me gêne. Mais si tu fais mine de hurler ou de crier au secours, je t'enfoncerai cette lame si profondément dans la gorge, qu'elle te clouera la langue à l'arrière du crâne ! Compris ?

Paul hocha la tête, et le bâillon lui fut retiré.

Suffoquant, il psalmodia le prénom de Cassie… Son esprit fut assailli d'images d'elle endormie, une orchidée attendant son réveil pour qu'elle sache combien lui, Paul, l'adorait, combien il détestait la quitter ne fût-ce que quatre jours… Si seulement il ne s'était pas déjà endormi quand elle était venue se coucher hier soir… Il regrettait de ne pas lui avoir dit qu'il l'aimait. Alors que le sang quittait lentement son corps, l'esprit ankylosé par la terreur et le froid, il ne put que chuchoter :

— Ma chérie, je veux juste rentrer à la maison… Cassie…

Il pleura des larmes de cristal. Le froid les gelait sur sa peau.

— Adorable. C'est fini ? Je m'ennuie…

Skirving lui taillada alors les bras, tranchant à l'épaule le muscle deltoïde et faisant descendre la lame jusqu'au dos des mains. Puis, saisissant ses poignets l'un après l'autre, il leva les bras ensanglantés et fit décrire au scalpel un large arc de cercle depuis les aisselles jusqu'au milieu du ventre, en traversant la cage thoracique.

Bien avant que la lame ne menace son visage, Paul avait sombré dans les ténèbres. Il eut la peau fendue d'une oreille à l'autre, en une estafilade rouge longeant la mâchoire.

Son bourreau se redressa enfin, s'étirant de nouveau. Il prenait soin de ne pas approcher de trop près les plaies de sa victime. Les incisions présentaient la parfaite symétrie des illustrations anatomiques, et Skirving éprouvait la satisfaction que procure le travail bien fait. Mais il était loin d'en avoir fini. Frottant ses mains gantées, il s'en claqua les cuisses. Bon Dieu ce qu'on se gelait ! De son autre poche de manteau, il sortit un petit étui en cuir noir qu'il ouvrit au creux de la paume de sa main gauche et d'où il préleva trois nouveaux instruments après y avoir rangé le scalpel. Il se remit au travail.

Ayant soigneusement disposé une nouvelle housse de protection en plastique, il s'agenouilla dessus et apporta les touches finales au cadavre de Paul tout en chantonnant doucement.

Il maniait son petit économe avec des mouvements agiles et précis pour éplucher la peau des doigts de Paul. Puis, armé du scalpel, il coupa adroitement la pointe de sa langue.

Gardant au creux d'une main les petits bouts de doigts, il appuya la pointe de langue sur l'œil gauche de Paul, tira par-dessus les paupières, et les cousit. Il cacha les lambeaux de doigts sous les paupières de l'œil droit, redoublant de vitesse tandis que, de ses mains gantées, il se débattait avec les petits bouts de chair défaite.

Cela faisait quarante-cinq minutes seulement que Paul avait repris connaissance sur le macadam, et Skirving avait entendu trois voitures se garer sur le parking. Le personnel arrivait, le soleil chevaucherait bientôt l'horizon. Il se redressa prudemment, s'attacha des sacs poubelle aux mollets à l'aide de câble de remorquage, reprit son sac à dos, rangea son étui en cuir puis utilisa la petite housse de protection en plastique, un pas à la fois, pour couvrir la distance qui le séparait de la route, loin du parking et des regards indiscrets. Une fois sur la piste couverte de neige fondue, il roula la housse en boule pour la fourrer dans son sac, retira les sacs poubelle et les chaussures afin de les remplacer par des baskets de seconde main, récupérées parmi les dons rassemblés au centre d'accueil. Il gagna à pied la station de bus la plus proche, traînant derrière lui une petite branche d'arbre, afin d'effacer toute trace de son passage. Réfugié sous l'abribus, il patienta. Il était seul. Il aurait voulu rire à gorge déployée, mais la fête attendrait. Il était gelé, épuisé. Toute l'adrénaline des préparatifs et de l'anticipation l'ayant abandonné, il ne désirait plus qu'une chose : une boisson chaude et… être le plus près possible de Cassie. Bientôt, ils viendraient la voir pour lui annoncer la nouvelle…

Joe Ramirez était gardien à l'université depuis quarante-deux ans et depuis qu'il occupait cet emploi, il se figurait avoir à peu près tout vu. Avoir accès à des zones interdites au public constituait l'un des avantages du métier, pas vrai ? Les gens avaient l'habitude d'user et d'abuser des privilèges, surtout avec un trousseau de clés et une bâtisse qu'on pensait vide simplement parce qu'il faisait encore nuit.

Le mieux, quand on côtoyait des étudiants, en dehors de les regarder baiser à tire-larigot, c'était l'approvisionnement facile en marijuana d'excellente qualité. Joe avait pris le pli de laisser malencontreusement ouvertes certaines portes en échange des meilleurs pétards que puissent s'offrir les gosses de riches avec le pognon de leurs parents.

Il avait adressé un signe de tête à son subalterne avant de sortir en catimini pour son remontant matinal, un des gros joints bien chargés qu'il retrouvait régulièrement dans son casier. Grommelant un vague acquiescement, Billy avait continué à se curer soigneusement le nez de son index sale. À moins d'un incendie, rien au monde n'aurait pu l'arracher à son porno. Sirotant son café qui refroidissait, il regarda son collègue sortir de l'établissement. Il en aurait bien pour une demi-heure encore, et laisser Tammi alors qu'ils faisaient tout juste connaissance aurait été grossier.

Joe s'éloigna un peu des bâtisses avant d'allumer son joint. Il n'avait pas vraiment peur de se faire prendre. Après tout, il en savait assez sur le personnel et ses sales petits secrets pour être certain de pouvoir tout se permettre. Mais n'empêche… À quoi bon risquer des migraines inutiles dans son petit univers pépère ? Il déambulait sous les arbres, goûtant la lumière matinale mordorée qui filtrait à travers les futaies sur la neige fraîche. Il tira longuement sur son joint, retenant son souffle et savourant la fumée avant de la laisser s'échapper doucement. Il flânait au hasard, sans réfléchir. Il fallut donc un moment à sa cervelle légèrement confuse pour comprendre ce qu'il avait sous les yeux. Il crut d'abord que des loups avaient déchiqueté un chien. Mais en y regardant mieux, il constata que c'était trop gros pour qu'il puisse s'agir d'un animal domestique. En outre, l'odeur qui s'en dégageait n'avait aucun rapport avec celle des carcasses qu'il avait déjà eues à ramasser. Les jambes molles, il s'approcha, et en découvrant ce qui restait de Paul Doherty, il eut un haut-le-coeur.

Reculant, il trébucha et tomba, lutta pour se redresser en agrippant un tronc d'arbre. Un paquet de neige délogé par ses efforts lui tomba sur la tête, mais il ne la sentit pas s'infiltrer sous son col tant il avait la chair de poule.

Alors, en dépit de sa nausée, il pivota de nouveau, les yeux rivés sur la monstruosité obscène qui s'étalait devant lui.

Quand Billy entendit le cri, il lâcha *Barely Legal* et bondit de son siège inclinable. Il fonçait vers la porte lorsqu'un deuxième hurlement le fit stopper net. Si c'était humain, il n'y avait en tout cas aucune aide possible… Accablé, Billy jeta des coups d'œil à ce qui passait dans la salle du personnel, regrettant pour une fois qu'il n'y ait pas d'autres collègues de service si tôt… Il allait devoir y aller seul.

Immobile, la bouche ouverte, il tendit l'oreille. Mais le silence était encore pire que ces cris. Secouant la tête, il pesta tout bas contre leur syndicat de merde, il ne serait jamais assez payé pour ces conneries… Prenant son manteau et son chapeau sur le dossier du siège, Billy s'habilla à contrecœur et se dirigea vers la porte de derrière.

Une fois dehors, saisi par un froid mordant, il serra frileusement les bras autour de son torse, maugréa des imprécations à un dieu auquel il croyait presque, et voua aux gémonies ce qui l'arrachait à ses chers fantasmes en compagnie de la vilaine petite Tammi qui avait grand besoin d'une bonne fessée…

— Joe ?

Seul lui répondit le bruit d'une grosse goutte de neige fondue tombant d'une branche, quelque part.

— Putain, c'est vraiment pas drôle, mec !

Toujours rien.

Billy avança un peu, sans quitter le faisceau de lumière qui s'échappait de la porte de service qu'il avait laissée grande ouverte. Au bout de cinq mètres, il n'y eut plus de lumière du tout. Histoire de se réconforter, il laissa son esprit vagabonder, se distraire à la pensée de toutes les vilaines filles ayant besoin d'une fessée, au point qu'il faillit trébucher sur Joe. Accroupi, le nez dans la neige souillée de ses vomissures, celui-ci pleurait comme un pauvre gosse perdu.

— Nom de Dieu, mec…, bafouilla Billy, en reculant pour éviter de se salir. Putain, qu'est-ce que… ?

C'est alors que son regard passa par-dessus Joe. Ce qu'il aperçut le fit tourner les talons en toute hâte, laissant derrière lui Joe, les ténèbres du bois, et les cauchemars qui deviennent réalité. De retour dans leur bureau, il eut tout juste le temps, de ses mains tremblantes, de composer le numéro de la police avant de perdre le contrôle de son estomac et de régurgiter à son tour son petit-déjeuner.

CHAPITRE 25

Je regrette de ne pas avoir apporté d'appareil photo.

CHAPITRE 26

— Mec, je déteste faire ça. Je ne supporte pas quand ils pleurent.

— Nom d'un chien, tu vas montrer un peu de respect ! L'identification, ce sera encore bien pire. Imagine quand elle découvrira ce que ce fou dangereux a fait à ce type. Allez, amène-toi.

Cassie avait supposé que les deux hommes plantés devant sa porte étaient une fois de plus des illuminés qui venaient faire leur numéro. Elle se demanda brièvement si solliciter l'avis esthétique de deux apôtres de la bonne parole était ce qu'elle ait fait de plus malin dans la matinée. Elle s'apprêtait à décliner leurs offres en prétendant être juive, lorsque quelque chose chez eux, l'incita à plus de réserve. Leur façon de s'habiller et leur silence poli la dissuadèrent de penser qu'il était question de religion.

— Mademoiselle McCullen ? s'enquit le plus jeune.

En silence, Cassie hocha la tête. Quelque chose augurait du pire, mais elle se refusait à y réfléchir.

Le plus âgé prit la parole :

— J'ai de mauvaises nouvelles pour vous, je le crains. Pouvons-nous entrer ?

Cassie ne se rappellerait pratiquement rien d'autre. On l'escorta au premier étage, à son appartement et, une fois assise, elle entendit l'homme lui dire qu'un certain Markus Olsson (elle reconnut à peine ce nom : Mac était Mac depuis si longtemps) avait appelé la police après que Paul ne se soit présenté ni à l'université ni à l'aéroport. Il n'avait réussi à le joindre ni sur son portable, ni sur celui de sa petite amie (Cassie se rappela alors avoir éteint le sien la veille, quand elle avait travaillé tard), et du coup, il avait raté son vol. Ça ne ressemblait pas du tout à Paul, ce retard. M. Olsson avait craint que son ami n'ait dérapé sur une plaque de verglas, et eu un accident de voiture. Hochant la tête, Cassie attendait qu'ils en arrivent aux mauvaises nouvelles. Les yeux baissés sur ses bottes marron, elle remarqua pour la première fois les coutures effilochées et le bout pelé, sur l'orteil. Elle aurait dû porter les noires.

L'appel de Mac avait été enregistré au poste de police secours moins de dix minutes après celui du personnel de l'université. La police avait retrouvé la voiture de Paul sur le parking du campus. Et son cadavre non loin de là. L'identification était positive. Cassie entendit le type parler d'empreintes dentaires, et se demanda pourquoi la vue de son visage ne pouvait pas suffire. Elle croisa le regard du plus vieux des deux et demanda à voir Paul. Mais les deux gars se tournèrent l'un vers l'autre. Puis le plus jeune, les mâchoires serrées, baissa les yeux vers le sol.

— Nous ne vous le conseillons pas, mademoiselle McCullen. Il y a… eh bien, le corps est très abîmé, et vous imposer pareil spectacle serait un stress inutile pour vous.

Cassie voulait savoir de quoi il retournait précisément. Elle ne savait pas pourquoi, elle sentait qu'elle devait le faire, mais elle vivrait assez longtemps pour regretter de l'avoir vu une dernière fois.

Soudain, une clé avait tourné dans la serrure. Sa mère, Mac, Jen, et la mère de Jen étaient là. Et c'est alors qu'arriva la chose la plus étrange. Car à cet instant, elle devint comme sourde, comme lorsqu'après avoir nagé, on n'arrive pas à secouer toute l'eau qui s'est infiltrée dans ses oreilles. Une seule pensée s'imposa alors à son esprit : pourquoi tout le monde avait-il su avant elle ? Paul n'était-il pas *à elle ?* En voyant Mac en larmes, elle songea alors à pleurer, à son tour. Puis elle eut l'impression qu'elle ne s'arrêterait jamais.

TROISIÈME PARTIE

CHAPITRE 27

Ce rêve, comme tous les autres, semblait se dérouler en temps réel. Comme si les dix-huit mois écoulés n'avaient été qu'un terrible cauchemar, et que dans la réalité, tout était parfaitement en ordre. Il se tenait là, en train de lui sourire. C'est ce qu'elle adorait le plus chez lui, son sourire. Il lui souriait lorsqu'elle jouait les emmerdeuses, il souriait aux gens grossiers pour les faire disparaître. Il souriait aussi quand elle pestait après sa journée, et lorsqu'il ouvrait les yeux chaque matin.

Puis le rêve changeait. Elle le cherchait, mais il avait disparu. Elle se trouvait sur une plage délimitée sur trois côtés par de hauts murs en brique. Le long de celui du fond s'alignaient des spectateurs, à des centaines de mètres au-dessus du sable sombre où se trouvaient Cassie et d'autres gens. Les vagues ne venaient jamais y mourir : elles roulaient vers la minuscule plage, et d'énormes paquets de mer noirs, d'une force terrifiante, soulevaient les corps des gens pour les projeter contre la brique, juste hors de portée des témoins qui, de leur promontoire, tentaient vainement de les sauver. À chaque impact, Cassie sentait ses os voler en éclats comme du verre bon marché sous l'eau chaude. Pourtant, dès que le reflux la déposait sur le sable, elle était de nouveau entière, attendant calmement qu'approche la lame suivante.

Elle avait fait ce rêve tant de fois qu'elle s'était résignée à sa brutalité.

Souvent, elle se réveillait en vomissant. Reprenant conscience, elle s'affolait, se redressait en sursaut sur son lit, haletante, la cage thoracique se soulevant péniblement. Transie d'épouvante.

Ses hoquets lui faisaient mal. Elle ravala ses sanglots en tendant une main vers le sac en papier froissé, près de son lit. Telle une asthmatique, elle s'en servit pour réguler sa respiration.

Son sommeil était souvent truffé d'images effrayantes, de rêves menaçants. Elle aurait tant aimé que son subconscient fracturé lui laisse un peu de répit.

Elle n'avait pas de réveil près de son lit. Que lui importait l'heure ! Elle étendit le bras et repoussa un peu les rideaux pour voir le jour. Mais était-ce la vitre ou bien sa vue qui était brouillée ? Difficile à dire… Ce matin, le ciel lui-même semblait avoir la gueule de bois.

Après avoir avalé le verre d'eau pétillante éventée posé sur sa table de chevet, elle se rallongea, tira les couvertures jusqu'à ses oreilles, tapota l'oreiller d'une chiquenaude et enfouit la tête du côté frais, regrettant de ne pouvoir se rappeler la dernière fois où elle avait rebouché une bouteille. Sa peau grasse et abîmée suggérait que ça faisait bien trop longtemps…

Cassie aurait pu jurer ne pas s'être assoupie. Pourtant, une heure plus tard, alors qu'une journée chaude, lourde et humide s'annonçait, son métabolisme déshydraté se rebella, et elle se réveilla. Elle imaginait de l'eau fraîche s'écoulant dans sa gorge. Elle pouvait presque en sentir le goût. Comme ça serait rafraîchissant, et purifiant ! Mais le verre d'eau pouvait attendre : sa vessie, elle, était sur le point d'éclater.

Cassie s'étira et eut un sursaut en sentant ses orteils toucher quelque chose de dur et de froid, au fond du lit. Nom de Dieu, qu'est-ce que ça pouvait être ? Avisant le pot de crème glacée posé, vide, sur la table, elle comprit qu'elle avait sans doute perdu conscience, une fois de plus, en serrant dans sa main une cuiller pleine de crème fondue. Elle la chercha à tâtons, l'exhuma de sous le drap.

Dans une autre vie, il la lui aurait subtilisée avant qu'elle ne la lâche. Et puis, sans doute, il aurait pris une photo de son visage barbouillé et l'aurait collée sur la porte du réfrigérateur, histoire de la faire rougir quand elle aurait entamé ce qu'il appelait en riant sa « journée de travail »... Mais il n'était plus là pour ça, n'est-ce pas ?

Penser à lui n'était pas facile. Et ne le serait sans doute jamais. À présent tout à fait réveillée, Cassie refoula ses larmes. Chaque jour, dès qu'elle pensait à lui, elle cherchait des yeux la bouteille de vin qui rendrait à nouveau le sommeil possible. Fatiguée, elle s'assit dans le lit, et regretta aussitôt de l'avoir fait, lorsqu'elle croisa dans le miroir le reflet d'une femme misérable au regard noir, à l'autre bout de la porcherie qu'était sa chambre.

Cette fille avait sacrément besoin qu'on lui remonte les bretelles ! Mais Cassie, elle le savait, n'en aurait pas la force. Elle essuya ses larmes et sa morve du revers de sa manche, posa les pieds sur le plancher jonché de linge, de bouchons et d'assiettes sales, puis se fraya un chemin vers la salle de bains. Là, elle tenta de réprimander son cœur brisé, et de se murmurer quelques paroles d'encouragement.

Dans le vestibule, adossée au mur, elle se laissa glisser au sol et pleura en silence, les genoux serrés contre sa poitrine, répétant le nom de Paul encore et encore.

Chut, Cassie… Je sais que ça fait mal, mais ça en vaut la peine, tu verras.

Elle resta longtemps ainsi, sans bouger. Puis il lui fallut quelque chose pour faire passer sa gueule de bois. Un Alka Seltzer dans une main, un demi-litre d'eau glacée dans l'autre, elle affronta finalement le reflet de l'épave qu'elle était dans le miroir de la salle de bains, fit des grimaces, tenta de sourire, renonça et retourna au lit.

Après quatre heures de sommeil sans rêves (pour une fois), elle se réveilla de nouveau. Elle se sentait moins mal. Il était beaucoup trop tôt pour qu'elle se sente bien, elle le savait, mais le fait qu'il soit possible de vivre, c'était déjà ça.

Elle se leva, consulta l'heure sur son portable et réalisa qu'il lui restait près de 8 heures à tirer avant d'affronter la soirée. Le rituel qui l'attendait la remplissait d'effroi, et le résultat final lui paraissait odieux mais c'était un plan, admettait-elle de mauvaise grâce, pleine de ressentiment à entendre Jen et Gillian le répéter si souvent. Retournant dans la salle de bains d'un pas traînant, elle se fit couler un bain.

Tandis que la baignoire se remplissait, le miroir se couvrit de buée ; Cassie regarda son reflet s'estomper peu à peu jusqu'à ce qu'elle ne voie plus que son propre fantôme. Voilà qui lui plaisait : être là, mais pas vraiment. En déchiffrant l'étiquette du flacon vert que Jen lui avait apporté l'avant-veille, Cassie fut à peu près certaine que les fabricants du produit de bain conçu pour « apaiser et rajeunir » n'avaient jamais songé à un chagrin inconsolable, mais tout était bon à essayer... Elle versa donc la moitié du flacon sous les robinets. Pliée en deux, elle trempa un coude dans l'eau et décida de s'y risquer.

Retirant son ample pyjama, elle entra dans baignoire, demeura un instant debout puis s'accroupit, étendant progressivement ses jambes. Tandis qu'elle s'abandonnait à l'apaisante chaleur du bain, elle frissonna.

À son aise, elle guetta le petit bruit typique d'une bouteille qu'on débouche. Avant de se rappeler, toujours une seconde trop tard, que plus personne ne lui apporterait de vin quand elle prendrait son bain. Son esprit réussirait-il à s'adapter ? Après dix-huit mois environ, son chagrin restait aussi vif qu'au premier jour. Elle contempla les bouts pâles de son corps qu'elle entrevoyait sous les bulles et se demanda au nom de quoi elle avait accepté de subir cette torture, ce soir. S'habiller serait déjà assez pénible, mais sourire ? Faire la conversation ? Accablée à cette perspective, elle se renfrogna encore un peu plus. Elle devrait sans doute appeler et annuler... Cette séduisante idée n'attendait qu'un geste de sa part pour se concrétiser... La tentation de rester de ce côté-ci d'une porte verrouillée était comme toujours aussi forte qu'une présence physique, dans ce qu'on appelait son existence. Personne ne lui jetterait la pierre, elle le savait. Avec un léger soupir, elle passa un bras par-dessus le rebord de la baignoire et tâtonna à la recherche de son portable, dont la sonnerie la fit sursauter au même instant. Sans se donner la peine de regarder l'écran, elle sut aussitôt qui l'appelait. Dans un nouveau soupir, elle appuya sur la touche verte « décrocher ». Toute résistance était inutile.

La voix au téléphone était d'une douceur prudente.

— Tu es dans le bain ?

— Mmmmf.

— Eh bien, cinq heures d'avance valent mieux qu'une de retard…

— Jen…

En douceur, elle fut interrompue dans son élan.

— Nous avons déjà eu cette conversation. Tu l'as dit, je ne devais sous aucun prétexte te laisser te défiler… Tu te souviens ? Tu m'as fait la promesse.

La véhémence de la réaction de Cassie parut bien dure, même aux oreilles de Jen.

— Y avait-il une bouteille vide par terre quand je t'ai fait cette promesse, Jen ? Car j'ai pu me sentir courageuse, idiote, ivre et sans défense… Ça ne t'a pas traversé l'esprit ? Tu crois que c'est facile pour moi ? Au moins, tu peux toujours geindre auprès de ton mec chaque fois que l'envie t'en prend !

Jen résolut de la laisser dire.

Cassie n'en crut pas ses propres oreilles. Comment avait-elle pu dire ça ? Comment même avait-elle osé le penser ?

— Oh, mon Dieu, Jen, je suis désolée… Je n'ai pas beaucoup dormi cette nuit et rien qu'à l'idée de m'habiller…

Sa voix se fêla ; Cassie se redressa, serrant ses genoux contre sa poitrine, et lutta contre les larmes.

— Je sais, mon ange, et je vais venir te tenir la main. Nous n'aurons pas à nous attarder, tu sais. Viens, déteste le monde entier, bois trop vite, envoies-en promener quelques-uns… Tu en meurs d'envie, de toute façon, ajouta-t-elle, et elle crut entendre au bout du fil l'écho d'un petit rire. Ensuite, quand tout sera fini, je te mettrai dans un taxi, je te pousserai dans l'escalier, je te fourrerai dans la salle de bains et te tiendrai les cheveux en attendant que tu aies fini de vomir. Je ne toucherai même pas à ta réserve de chocolat planquée au fond de l'armoire à linge…

— L'armoire à linge ne contient que des draps. Ça fait une semaine que toute trace de chocolat a disparu… Ah, Jen, finalement, est-ce que j'ai le choix ?

— Bien sûr ! Si c'est vraiment au-dessus de tes forces, appelle-moi à la dernière minute et laisse tomber. Prends tout le temps que tu voudras, sacré bon sang ! Quand tu seras fin prête, nous serons toujours là. Mais c'était ton idée, tu te souviens ? Allez, va déboucher ta bouteille et rappelle-moi plus tard. Je t'aime.

Jen avait raccroché. Cassie laissa tomber le téléphone sur le tapis de bain et, fermant les yeux, elle se laissa glisser au fond de la baignoire. Seul son menton dépassait encore de la mousse.

Une heure plus tard, elle se sentit étrangement requinquée. Pas excitée, à proprement parler, mais prête, peut-être, à relever un petit défi. Blottie dans une grande sortie de bain avec à la main un verre de vin non moins grand, elle déambula dans toutes les pièces de l'appartement, et finit par revenir s'asseoir devant son PC. Le projet créatif sur lequel elle travaillait était abstrait à souhait et, après avoir ouvert les fenêtres, elle entreprit de bosser un peu, se félicitant encore d'avoir décroché un contrat qui lui permettait de travailler à domicile.

Elle commença par contacter son patron par e-mail.

— « *Je suis assise devant mon ordinateur à triturer dans tous les sens ce projet insensé. Donnez-moi quelque chose à faire. Par mail, pas par téléphone…* »

Après cela, elle se plongea dans les menus détails d'une brochure que personne ne lirait mais qui, au moins, aurait de la gueule. Il y avait du positif à retrouver ses bons vieux réflexes dans un travail qui était comme une seconde nature. Ça procurait un répit à sa conscience exténuée, et Cassie se sentait presque calme en classant, alignant, transformant et manipulant avec méthode un océan de paroles et d'images.

Un signal sonore marqua la réception d'un e-mail.

« *La merveilleuse Cassie peut-elle rendre acceptable un monde de laideur ? Putain, les enfoirés ! Ils sont en train de discuter nos tarifs, donc tu peux jouer avec tout le temps que tu voudras. Si tu as besoin de quoi que ce soit, appelle-moi. La réponse est toujours non. Au fait, j'ai refilé ton job à une jeunette de 18 ans aux gros tétés et sans le moindre talent…* »

Malgré elle, Cassie sourit. Il n'y avait que Gordon pour sortir de telles conneries.

Elle répondit.

— « *Tu me manques aussi, vieux canasson, va !* »

Elle revint à la couverture de la brochure, mais un autre signal sonore réclama son attention avant qu'elle puisse entreprendre quoi que ce soit.

— « *Ne te gêne surtout pas pour virer la belle nana de ta chaise à grands coups de pompe dans le cul dès que tu auras repris du poil de la bête ! Tu manques à tous les vieux canassons !* »

Complètement déconcentrée, Cassie sauvegarda le fichier de la brochure, se sentant néanmoins ravie d'être allée si loin. Un paragraphe au moins avait été disposé de façon homogène autour de l'image d'un vendeur grimaçant, presque aussi sexy que ses cuisines de troisième zone. Elle composa le numéro deux de la mémoire de son téléphone.

— Eh, ma belle...

En arrière-plan, le raffut d'un bureau en pleine activité.

— Je dois prendre cet appel, expliqua Jen à quelqu'un, une main étouffant le combiné.

— Ce n'est pas le moment ?

— Pour toi, ce le sera toujours. Comment ça va ? Tu avances ?

— Pour l'instant, ça va. Je n'ai pas encore brûlé la robe, ni rien... Je voulais juste te dire que je suis désolée pour ma remarque de tout à l'heure. Je ne le pensais pas. Mac et toi êtes ce qui me raccroche à la réalité, vous êtes ma bouée de sauvetage, et pour moi, ça n'a pas de prix. J'aurais... Je veux dire, je pourrais... Ah, mon Dieu, je vous suis simplement reconnaissante, à tous les deux, c'est tout...

Une pause. Cassie entendit une porte qu'on fermait.

— Nous le savons. Ma chérie, tout le monde voudrait t'aider, mais on craint d'empiéter sur ton intimité. C'est toi qui décides, comme toujours. À propos, le frère cadet de Mac qui est de passage — tu sais, le mignon — aimerait savoir si tu veux qu'il te serve de cavalier ce soir.

— Dis-lui que c'est très sympa de sa part, et que non merci. Il y aura bien une fille de 22 ans qui aura davantage besoin de ses services que moi. En plus, ça ne serait pas bien. Je veux dire...

— Pas besoin de m'expliquer. Je lui ai déjà dit non, de toute façon.

Cassie sourit.

— Jen, je te suis encore redevable.

— Tu ne m'es redevable de rien du tout. Allez, lâche-moi, maintenant, je suis censée avoir l'air débordée aujourd'hui ! Souviens-toi, tout ira bien du moment que tu te ressaisis. Je passerai te prendre à 19 heures. Mets la robe rouge.

Aujourd'hui est un grand jour.

Cassie raccrocha, et son esprit revint huit mois en arrière... Sur l'avis de son psychologue, Jen et elle avaient mis au point un système de soutien qui paraissait à peu près gérable, compte tenu de la réticence de la jeune femme à faire face à n'importe quel type de progrès. À présent, peu importait le nombre de fois où ses émotions reprenaient le pas, elle devait trouver un moment de calme et quelque chose qui l'aide à positiver avant que tout ne recommence. Au début, ça n'avait été qu'un long enchaînement de crises, mais rien n'avait semblé devoir effrayer Jen. Tout ce dont Cassie se souvenait à peu près, au cours de la première année, c'était de la présence et du soutien indéfectible de Jen à chaque réveil infernal, chaque moment de cruelle lucidité. Jen était son tuteur émotionnel. Cassie n'aurait jamais cru qu'un cœur puisse se briser avec pareille violence. Quand tenir encore debout était au-dessus de ses forces, Jen la soutenait. Lorsqu'elle ne pouvait même plus parler, Jen articulait des sons intelligibles. Quand Cassie fut prise de vomissements une semaine durant, Jen la nettoya, la tint dans ses bras, la réconforta. Lorsque Cassie se sentait partir à la dérive, loin de ce monde et de ses souffrances, Jen la serrait contre elle, s'adressant dans un doux murmure à l'instinct de survie enfoui au tréfonds de la coquille vide qu'était devenue Cassie.

Puis vint le premier anniversaire du drame. Cassie avait beau suer sang et eau pour oublier, elle se souvenait de tout avec une clarté affolante. Quand elle avait refait surface, déçue de respirer encore en dépit de ses vœux les plus chers, il y avait eu Jen. Jamais en colère, jamais brusque, elle avait absorbé tout ce que Cassie ne pouvait plus garder pour elle. Cette dernière s'étonnait continuellement que tant d'amour et de soutien puissent lui venir de la fillette timide qu'elle avait apprivoisée devant une palissade de jardin vingt ans plus tôt. La fillette du passé qui, les yeux baissés, murmurait une hésitante invitation à jouer, était désormais l'indispensable soutien sans lequel, à n'en pas douter, Cassie serait morte.

Elle décida, ici et maintenant, que la soirée aurait lieu, indépendamment de tout le reste. Elle était l'obligée de Jen. Malgré toutes ses réticences, Cassie ne se déroberait pas. Son amie avait tant investi d'elle-même. Elle méritait un peu de reconnaissance.

Cassie reprit le téléphone et contacta la sandwicherie sélect, implantée juste sous les bureaux de Jen, commanda un sandwich au steak avec de la moutarde, du jus de viande, des oignons et un extra de fromage, ainsi qu'un coca light, et se fit livrer le tout.

C'était faire preuve de suffisamment d'initiative pour l'instant. Vidée, Cassie retourna au lit.

Tandis qu'elle faisait l'effort de lisser le drap et le duvet, la jeune femme aperçut le coffre dans un coin de la chambre, et se laissa tomber sur le bord du lit. Son plaid en soie rouge était toujours là, et y resterait pour le moment. *Paul* devrait être là pour l'en draper et l'embrasser sur la nuque. C'était toujours ce qu'ils faisaient avant de partir le soir battre le pavé. À la lumière du petit jour, il s'en saisissait, puis l'enroulait autour de son cou quand elle se retournait afin de l'attirer à lui. Elle feignait de résister mais, blottie dans ses bras, leurs baisers lui donnaient l'impression qu'il ne restait plus qu'eux deux au monde. Au fond d'elle, Cassie savait qu'elle ne pourrait jamais supporter de le remettre.

J'entends grincer le sommier, mais cette fois, je ne t'entends pas pleurer. Tu es peut-être trop épuisée. Pendant tout ce temps, je ne suis sorti d'ici que pour faire des courses, préférant rester auprès de toi à chaque instant, pendant ta période de deuil. Je ne supportais pas que tu sois seule pour surmonter tout ça. Sans moi. Mais le jeu en vaut la chandelle, crois-moi. Chaque jour, tu te rapproches un peu plus du but. De là où j'ai besoin que tu sois. Et maintenant, nous sommes si proches… Il ne reste plus qu'une nuit. Après ça, j'arrangerai tout.

Cassie programma son réveille-matin sur 20 heures, plongea sous les couvertures, puis sombra presque aussitôt dans un sommeil fragile.

Ses rêves étaient absurdes. Elle se trouvait dans un ascenseur, une forêt, puis une voiture, puis un étang puis un cinéma, mais elle ne cessait de chercher Paul, qu'elle entendait l'appeler à grands cris. Le rêve se modifia brusquement, et ce fut une chose tout à fait différente qui criait son nom, s'efforçait de l'atteindre, de l'agripper. Elle se trouvait dans une pièce sombre, et la chose trébuchait en tendant ses griffes pour la saisir. Et tous ses instincts hurlaient à Cassie de fuir le plus loin possible de cette créature.

Elle se réveilla en larmes, ses draps trempés de sueur. Les yeux tournés vers la place vacante dans le lit, elle ne parvenait qu'à hoqueter encore et encore le nom de son amour disparu. Une vague de panique menaçait de la submerger. Elle trembla, fut prise de spasmes. Par réflexe, ses mains moites saisirent le téléphone et ses doigts malhabiles composèrent le numéro 2 de la mémoire.

— … *Jen…* ?

Plus rien. Les mots ne venaient plus.

— Je sais, je sais…, fit la voix apaisante, à l'autre bout du fil. Chut, Cassie, ça va… répétait inlassablement Jen, pour la calmer. Je serai là dans vingt minutes. Va te rafraîchir, ma chérie. Ne raccroche pas.

Gardant le téléphone avec elle, Cassie entendit vaguement Jen lui dire tout ce qu'il fallait faire tandis qu'elle quittait la chambre sur des jambes chancelantes, passant devant la porte de la cuisine. La lumière vespérale qui baignait la pièce la surprit, et elle inspira à fond, soulagée qu'il fasse encore jour. Elle prit appui contre le chambranle de la porte, et approcha le combiné de sa bouche.

— À tout à l'heure, réussit-elle à dire avant de raccrocher.

S'effondrant sur le sol de la cuisine, elle s'abandonna aux larmes.

Et moins de quinze minutes plus tard, j'ai entendu des bruits de pas hâtifs, derrière ma porte, et une clé tourner dans ta serrure

CHAPITRE 28

Jen franchit le seuil, jetant plusieurs sacs par terre. Elle fonça dans la cuisine, tomba à genoux et prit Cassie dans ses bras.

Tout se déroule comme prévu. Tu te débrouilles si bien...

Quand les deux femmes cessèrent de s'étreindre, Jen écarta du visage noyé de larmes de Cassie quelques mèches de cheveux.

— C'est une chance que la morve soit à la mode cet été, sinon, je ne pourrais t'emmener nulle part.

Cassie esquissa ce qui aurait pu être un sourire.

— Va te doucher, pendant que je réapprovisionne la planque. Ne me force pas à venir vérifier si tu t'es lavée derrière les oreilles...

Là-dessus, elle se dirigea vers l'armoire à linge.

Dix minutes plus tard, Jen frappa doucement à la porte de la salle de bains, puis entra sans attendre de réponse. Elle s'assit sur le panier à linge le temps que l'eau cesse de couler. Et quand le rideau de la douche frémit, elle leva une immense serviette de bain pour que Cassie s'en drape. Quelques instants durant, elle l'enlaça, blottissant la tête contre son épaule, et passant doucement les doigts dans ses cheveux mouillés.

Puis Cassie s'assit à son tour sur le panier à linge pendant que Jen peignait ses longs cheveux, et lui faisait une queue-de-cheval. Elles ne parlaient pas. Apathique, Cassie ne pleurait plus. Jen ne disait rien, et se contentait de peigner son amie en écoutant sa respiration s'apaiser. Elle la ramena ensuite dans le sanctuaire de sa chambre.

Une heure plus tard, elles se tenaient devant le miroir, et Jen admirait leur reflet à toutes les deux.

Passant un bras autour de la taille de Cassie, elle annonça sans quitter le miroir des yeux :

— J'ai quelque chose pour toi.

Elle ouvrit un de ses sacs, et lui donna un grand paquet emballé, tout mou.

— Ne t'offusque pas, nous voulions simplement te faciliter les choses…

Cassie défit en douceur le paquet cadeau, et en tira une étole de velours, d'un rouge légèrement plus affirmé que la robe.

— Porte l'autre pour ramener un sourire sur tes lèvres quand tu penses à lui, mais pas ce soir. Cette soirée est dédiée à la thérapie, pas au plaisir. Il ne s'agit pas de remplacement, juste d'une… alternative.

Souriant, Cassie se tourna vers Jen.

— C'est parfait. Pourquoi veux-tu que je m'en offusque ? C'est la plus délicate des attentions !

— Pour être tout à fait honnête, c'était l'idée de Mac…

Sur ces mots, Jen lui prit l'étole des mains et lui en drapa les épaules. Les yeux rivés sur le visage de Cassie dans le miroir, elle la tint dans ses bras, sensible au léger frisson qui lui parcourut le corps. Émotionnellement vidée, se sentant de trop, elle se dit qu'elle donnerait n'importe quoi pour faire sienne la douleur de Cassie et lui rendre son cœur. Elle pencha la tête sur l'épaule de son amie, et respira lentement, posément, s'efforçant de refouler ses larmes.

Après un instant, elle s'écarta tandis que Cassie reprenait le téléphone et composait le numéro 1 de la mémoire.

— Mac ?

— Salut, ma beauté ! s'exclama Mac. Que puis-je pour toi ?

— Tu en fais déjà tellement ! L'étole est fabuleuse. Je l'adore, et ça me fait très plaisir que tu aies pensé à moi en l'achetant. C'était la plus délicate des attentions, et il aurait apprécié ton geste, tu le sais, dit-elle avant de marquer une pause, sa respiration se faisant plus bruyante. Mac, ce que je sais aussi, c'est que je ne suis pas la seule à qui il manque.

— Bien reçu, fit le Suédois au bout du fil. Oh, surtout rappelle à ma petite femme que si elle a des offres ce soir, je n'accepterai rien en-dessous de cinq chameaux !

Il souffla ce qui devait être un baiser, et raccrocha.

— Et pour combien de chameaux est-il prêt à me céder, ce soir ? s'enquit Jen.

— Cinq. Ta côte a encore grimpé, chérie.

Les deux femmes se tenaient juste devant la porte d'entrée de Cassie. Jen se sentait de plus en plus coupable d'avoir entraîné son amie dans tout ça alors qu'elle n'était pas vraiment prête. Au fond, ça lui ferait plus de mal que de bien.

Pensant exactement la même chose, Cassie se tourna pour regarder Jen dans les yeux.

— J'ai choisi de le faire. Et, oui, je me sens mal, coupable et affolée, je donnerais cher pour retourner au lit immédiatement. Je ne me sens pas prête, mais... je ne le serai plus jamais, n'est-ce pas ? Alors... Tu me rattraperas dans ma chute ?

Souriant, Jen embrassa son amie sur la joue.

— Pour toujours et à jamais !

Les deux jeunes femmes échangèrent un sourire. Telle avait été la réponse de Cassie quand Jen, du haut de ses huit ans, lui avait demandé combien de temps elles resteraient amies.

Se demandant si la blonde tenait sa compagne si serrée contre elle parce qu'elle était déjà soûle, le chauffeur de taxi regarda les deux femmes descendre les marches du perron. Rien de pire qu'une soûlarde dans le véhicule, en train de brailler et de dégueuler partout.

— Vous avez commandé un taxi au nom de Hollier ? fit-il aux deux clientes qui acquiescèrent et montèrent. Station du musée, c'est ça ? lança-t-il à Cassie.

— Oui, merci, répondit Jen. Vous vous garerez au bout de l'allée. Qu'attendons-nous ? demanda-t-elle en constatant que le taxi ne démarrait pas.

— Que votre amie boucle sa ceinture, fit le chauffeur en désignant Cassie du menton.

Sa vitre déjà baissée, celle-ci avait incliné la tête contre l'appui. Les yeux clos, elle serrait la main de Jen, la respiration saccadée.

— Elle va bien ! Vous allez démarrer, nom d'un chien !

Relevant légèrement la tête, Cassie se recentra sur Jen.

— Tu viens de jurer !

Les deux filles se regardèrent, puis rirent de bon cœur.

Tandis que la voiture démarrait, Cassie se concentra de nouveau sur sa respiration, se répétant inlassablement qu'elle y arriverait, qu'elle contrôlait la situation, que c'était son choix, que tout irait bien. Et regretta de ne pouvoir le croire.

J'étais plaqué à la porte quand tu es passée dans le couloir, je t'imaginais, je me figurais que je respirais ton parfum... Je te verrai très bientôt.

Le trajet parut passer en un éclair, et par chance, les deux amies descendirent de voiture à bonne distance des foules du week-end. Jen régla la course au chauffeur renfrogné, puis s'empara doucement de la main de Cassie pour l'entraîner vers l'entrée principale du musée. Elle commença à lui expliquer à quoi s'attendre une fois qu'elles auraient rejoint la fête.

— C'est une fiesta caritative, où il y aura surtout des gens qui ne sont pas d'ici. Nous avons ces clients qui viennent de décider d'investir dans des programmes d'aide à l'enfance du Tiers Monde. Sans toutefois omettre de prélever 15%, histoire de se récompenser eux-mêmes de leur générosité. Et naturellement tout commence par un cocktail de mauvais goût destiné à ce qu'aucune des grandes et belles âmes de ce monde n'ignore l'existence de leur si charitable démarche.

— Naturellement, répondit Cassie.

— Officiellement, c'est une collecte de fonds, poursuivit Jen, mais en ce qui me concerne, j'ai déjà fait des dons à cette grande cause. À vrai dire, j'ai toujours désiré venir à cette fête, alors je me suis dit que je pourrais toujours aider à desserrer les cordons de quelques bourses, afin de repartir la conscience tranquille, et complètement bourrée !

Cassie passa un bras sous celui de son amie.

— Maintenant, dis-moi le reste.

— L'endroit sera bondé de riches célibataires bons à marier, qui seront persuadés que les femmes les adorent, eux et leur argent. Tu ne connaîtras personne, et moi juste une poignée d'entre eux. Je comptais être honnête pour l'essentiel et te présenter en tant que photographe freelance. Ne m'en veux pas, mais j'ai piqué quelques-unes de tes cartes de visites, et je les ai apportées. Tu n'as pas à te sentir obligée d'accepter les missions qui pourraient t'être proposées, mais te faire connaître auprès de riches crédules ne peut pas faire de mal, n'est-ce pas ?

Cassie s'arrêta, l'obligeant à faire de même. Pendant une minute interminable, Jen ne sut si son amie allait fondre en larmes ou lui boxer le nez. Mais finalement, elle se contenta de hocher la tête et de reprendre sa marche. Jen se demanda ce qui venait de se passer dans sa tête.

Dès qu'elles furent devant le perron, Cassie demanda :

— Mes cartes ?

Jen les prit dans son sac pour les lui tendre. Cassie les tint au creux d'une main, les contemplant comme si elle ne les avait jamais vues auparavant.

Puis elle releva les yeux vers son amie avec un petit rire.

— Tu devrais voir la tête que tu fais, mon ange ! J'ignore si j'y arriverai, mais tu peux dire à ma psy que c'était bien tenté.

Sur ces mots, elles gravirent les marches, se laissant escorter dans le grand hall par le portier en livrée, avant de se diriger droit vers le bar à champagne histoire de se calmer les nerfs. Et une seule coupe serait loin de faire l'affaire.

Il m'a fallu plus longtemps que je ne pensais pour me raser. J'ai dû y mettre le plus grand soin, car me pointer avec le visage couvert de petites coupures me ferait remarquer plus que nécessaire. Ma tâche accomplie, c'est à peine si je me suis reconnu. Le costume a été donné au centre d'accueil. Il m'a fallu des semaines de porte-à-porte dans les quartiers cossus pour trouver quelque chose à ma taille.

Jen se pencha vers Cassie.

— Ça ira pour une minute ?

— Quoi ? Oh, hum… Oui, bien sûr, répondit Cassie, ne comprenant la question qu'après s'être retrouvée seule avec deux inconnus.

L'un sirotait son verre pendant que l'autre lui souriait. L'inspiration qu'il prit au moment de lui parler évoqua à Cassie le halètement fétide d'un prédateur campé devant une proie fraîchement tuée.

— Alors comme ça, vous êtes photographe ? fit-il avec un clin d'œil.

Cassie sentit monter en elle un éclat de rire, qui l'aurait à juste titre faite passer pour une hystérique, si elle l'avait laissé sortir. Acquiesçant, elle fit tourner le contenu de son verre, attentive au doux cliquetis des glaçons dans le silence.

— Des portraits ?

— Des paysages industriels délabrés pour le plaisir, répondit-elle, des putes d'entreprise pour l'argent. Ma carte, ajouta-t-elle en lui en tendant une.

N'ayant pas saisi l'ironie, il l'accepta. Impavide, Cassie regarda l'autre type sourire et boire à longs traits pour s'empêcher de pouffer. Dans une autre vie, elle aurait déjà été en chemin à ses côtés pour prendre un taxi. Mais plus maintenant. Captant son regard, il lui fit un vrai sourire. Elle hocha la tête.

Je suis un cadavre ambulant, songea-t-elle. *Vous perdez votre temps.*

CHAPITRE 29

Tu portes la robe rouge. Je le savais. Tu la portes pour moi.

Le luxe ostentatoire de ce soir est obscène. Mais pour toi, je supporterai tous les aspects nauséabonds de ce petit jeu mesquin. En toute honnêteté, j'aurais préféré que tu ne t'en sentes pas la force et que tu restes à la maison. Que tu n'arrives même pas à t'habiller, à sortir… Mais te voilà et, en dépit de mon désappointement, j'ai hâte de te voir perdre contenance en public. Ce sera tellement plus probant…

Jen revint et reprit le fil de la conversation, laissant Cassie libre de décrocher. Elle avait tant bu qu'elle en était sobre, et leurs deux interlocuteurs ne présentaient pas à ses yeux le plus petit intérêt. Jen était ravie de prendre en charge les mondanités, et le brouhaha ambiant justifiait amplement l'absence de participation de Cassie à la conversation. Elle hochait la tête quand ils le faisaient, souriait autant qu'elle le pouvait et laissait les serveurs remplir inlassablement sa coupe de champagne.

Tu crois que ces types sauraient comprendre ta souffrance ? Ils n'ont aucune idée de ce par quoi tu en passes. Moi, je prends tout cela à cœur, Cassie. Je te comprends. Je te connais mieux que tu ne te connais toi-même.

Cassie réalisa soudain que Jen et les deux messieurs, la regardaient.

— Navrée, sourit-elle, j'étais partie sur une autre planète... Qu'ai-je manqué ?

Lui touchant le coude, Jen plongea les yeux dans les siens tandis que l'un des types répétait sa blague. Une seconde fois, tous la trouvèrent excellente, et Cassie se joignit poliment à leurs rires.

Elle fut surprise et horrifiée de voir la facilité avec laquelle elle se laissa aller à rire. Tout, ce soir, lui semblait plus qu'étrange – quasi surréaliste. Même son visage lui paraissait se déformer curieusement et elle tenta de se remémorer si autrefois, c'était toujours ainsi lorsqu'elle riait. Difficile de s'en souvenir.

Elle est sacrément drôle, ta vie, Cassie, n'est-ce pas ?

Tu te débrouillais si bien jusqu'à maintenant, mais... Oh, Cassie, ne merde pas comme ça ! Pas maintenant ! Pas après tout ce que j'ai enduré ! Comment peux-tu avoir le cœur à rire ?

Elle se tourna vers Jen et esquissant un grand sourire, elle la serra dans ses bras avant de déposer un baiser sur sa joue. Elle déposa ensuite sa coupe sur un plateau vide et se dirigea vers leurs interlocuteurs pour leur serrer la main. L'un d'entre eux conclut ses au-revoir par une dernière blague et tous quatre éclatèrent à nouveau de rire de concert.

Tu crois que ces mecs t'aiment ? Tu crois... Oh, bon sang, Cassie, comment peux-tu rire ? Putain, qu'est-ce qu'y a-t-il de drôle ? Tu crois que j'ai fait tout ce que j'ai fait pour nous afin que tu puisses te marrer ensuite avec le premier connard venu ?

Je vais te montrer, moi, ce qu'est la véritable souffrance ! Ce crétin se soucie-t-il de savoir ce que tu endures ? Il s'en fout pas mal, oui !

Comment peux-tu me faire cela à moi, à nous ? Après tous mes préparatifs, tout le soin, tout l'amour et tous les putains de bordel d'efforts que j'ai investis dans tout ça ? C'était pour nous ! Plus de deux années de ma vie ! Tu crois que ç'a été facile ? Tu crois… tu crois que c'est gratuit ? Tu penses être la seule à souffrir, à ressentir de la douleur ? Salope d'ingrate ! Après tout ce que j'ai fait pour nous !

Nous étions si près du but, de la perfection, mais… Cassie, putain de bordel, qu'y avait-il de si drôle ?

Tu crois que tu peux me décevoir comme ça ? Me rejeter ? M'abandonner ? Tu n'étais pas censée réagir comme ça, Cassie. Ce n'est pas mon plan. Je t'ai brisée, et je l'ai fait pour la bonne cause. Mais ça n'aura servi à rien si tu te rétablis. Pas question que je te laisse réduire toute mon œuvre à néant ! Tout était si parfaitement planifié… C'est ça, ma récompense pour t'avoir donné tant d'égards et tant d'attention ?

J'ai choisi de te briser, Cassie, parce que j'avais besoin de quelqu'un qui ne pourrait plus jamais se remettre, et qui finirait par me comprendre. Je le savais, il fallait que tu en passes par là où moi, j'en étais passé, car sinon, comment pourrais-tu me comprendre ? Cette soirée devait être au-dessus de tes forces. Il ne te restait plus que ce test à passer, c'était tout. Rien que ce petit truc pour moi, pour moi !

Et maintenant, regarde-toi… Es-tu vraiment en train de flirter ? Habillée et maquillée comme la pute que tu es…

Si tu te sens mieux, tu ne m'es plus d'aucune utilité.

CHAPITRE 30

Alors que Jen récupérait leurs manteaux au vestiaire en faisant ses adieux, Cassie quittait la fête par une porte latérale avant de patienter au bord de la pelouse sombre et déserte. Le dos à la porte, elle sentait les larmes lui monter aux yeux, et ne voulait pas que ça se voie.

Quelques minutes plus tard, elle sentit Jen l'enlacer avant de lui draper les épaules de son étole.

— Je suis épuisée…

— Nous aurions pu partir à n'importe quel moment, tu sais ?

Une véritable inquiétude perçait dans le ton de Jen. Elle n'avait pas compté s'attarder autant, mais Cassie n'avait pas donné de signe de faiblesse. Pourtant, pour une première sortie, ça paraissait trop ambitieux.

— Ça va, assura la jeune femme. C'est juste que… je suis surprise. Je me surprends moi-même, surtout. C'était comme de jouer la comédie… si j'arrivais à faire croire à tout ce monde que j'allais bien, je me disais que j'arriverais peut-être à le croire, moi aussi, tu vois ?

Jen hocha la tête.

— Mais en réalité, ça ne va pas du tout, n'est-ce pas ?

Cassie détourna le regard. Tous ces efforts la vidaient.

— Non, ma chérie, répondit-elle à travers ses larmes, ça ne va pas du tout. Je suis comme morte. Il n'y a que toi pour m'empêcher d'aller jusqu'au bout. Et ma lâcheté... Il y a dix-huit mois, un fou criminel a mis en pièces l'amour de ma vie et l'image de son cadavre mutilé hante toutes mes pensées. Parfois, quand je me réveille, je le sens qui m'embrasse sur la nuque, je me retourne dans le lit et... il n'est pas là. Parfois aussi, je crois l'entendre m'appeler, mais quand je réponds, il n'y a que le silence. Parfois encore, je crois l'apercevoir par la fenêtre et je me précipite dans la rue... Il est déjà parti. Et ce qui rend les choses encore pires, c'est que tu es toujours là pour moi, à tout supporter, à tout me donner... Mais ce que tu ne sais pas, ce que tu ne sauras jamais vraiment, c'est que cette femme que tu aimes est déjà morte, en train de pourrir dans sa putain de misère, et ça n'en finira jamais parce que je suis morte avec lui, alors que personne n'a la décence de m'enterrer et de me laisser en paix !

Se griffant les bras, s'étouffant avec ses propres mots, Cassie arpentait le bitume en tempêtant tandis que Jen, immobile comme une pierre, pleurait en silence. Elle finit par s'effondrer sur le pas de porte, les genoux serrés contre son torse, et par éclater en sanglots.

Putain, où t'es passée maintenant ? Tu n'es tout de même pas restée là-dedans, si... ?

En fin de compte, Jen sentit un bras délicat, sur ses épaules, et un souffle chaud lui caresser l'oreille.

— Ma chérie, je suis navrée…, chuchota Cassie. Tellement navrée… Regarde-moi, je t'en supplie ! Regarde-moi, j'ai besoin de te dire quelque chose…

S'accroupissant, elle prit le visage de Jen entre ses mains, l'embrassa doucement sur la joue, plongea les yeux dans les siens et ajouta :

— Merci ! Sans toi, je serais morte et, aussi pénible que soit la vie, je ne veux pas être morte. Ce qui me fait le plus peur, dit-elle en se relevant et en aidant son amie à faire de même, c'est que certaines nuits, je me demande si Paul n'a pas été tué parce que je méritais que le sort s'acharne contre moi… Et si c'était ma faute ?

Jen renifla.

— Tu es sérieuse ? C'est vraiment ce que tu penses ? Oh, Cassie…

— Parfois, oui, chuchota celle-ci, de même que je repense aux milliers de choses que j'aurais dû mieux faire, en me demandant aussi s'il s'agissait d' un avertissement.

— Ce n'était pas de ta faute ! Le seul coupable, c'est l'auteur de ce crime ! Tu aimais Paul, et il t'aimait, toi et tous tes travers et tous tes mauvais côtés ! Tu as fait preuve de courage en venant ici ce soir, lança Jen en écartant une mèche de cheveux du visage de Cassie, alors que tu savais que tu te sentirais mal, et je suis fière de toi ! Tu finiras par ne plus te sentir aussi mal, promis...

Bras dessus bras dessous, elles remontèrent lentement le sentier qui longeait le hall principal, et rejoignirent le perron, à mi-hauteur de l'escalier.

Ah, te voilà. Sale pute !

Elles regagnèrent ensuite la route principale, et prirent en silence le chemin du retour dans la fraîcheur estivale. Il faisait encore nuit. Bientôt, elles ne furent plus qu'à deux ou trois pâtés de maisons de chez Cassie. En attendant de pouvoir traverser le carrefour, elles virent passer des tas de taxis libres.

— J'ai besoin de marcher, dit Cassie, et j'aimerais rester seule cette nuit.

L'idée déplaisait souverainement à Jen, qui n'en fit pas mystère. Mais après son éclat, Cassie paraissait changée, et parfaitement résolue à passer la nuit toute seule.

Jen demandait à en être convaincue, seulement Cassie n'était pas d'humeur à se justifier ; elle promit de l'appeler dès le lendemain. Jen se campa alors devant elle, l'enlaça et l'étreignit avant de se détourner et de héler un taxi. Tandis que la voiture s'éloignait, Jen se tourna sur son siège pour regarder par la vitre arrière son amie disparaître dans la nuit. À cet instant, elle n'aspirait qu'à une chose : retrouver Mac, se blottir dans ses bras, s'assurer de sa merveilleuse présence, lui faire comprendre qu'elle aurait tout aussi bien pu se trouver à la place de Cassie, lui répéter à quel point elle l'aimait et combien elle avait besoin de lui…

Quinze minutes plus tard, soulagée, Cassie pénétra dans l'obscurité de son hall d'immeuble, s'adossant à la porte qui se referma avec un déclic. Jusqu'au bout des ongles, elle se sentait d'une lourdeur de plomb. Que penser de cette soirée ? Elle n'en savait trop rien. Elle le savait, bientôt, elle devrait admettre que ça n'avait pas été si désagréable que ça. Et dès qu'elle l'aurait reconnu, on s'attendrait à ce qu'elle remette ça… Encore, et encore, et encore… Alors qu'au fond, elle ne désirait qu'une chose : se pelotonner au fond de son lit, et demander pardon à Paul d'avoir accepté d'y aller. C'était comme un secret honteux, un mensonge, une infidélité. C'était irrespectueux, égoïste, superficiel. En plein deuil, voilà qu'elle allait à une putain de fête !

— Je suis ivre, et trop fatiguée pour battre ma coulpe ce soir… annonça-t-elle à son appartement obscur.

Sur des jambes mal assurées, elle gagna la cuisine où elle but au goulot du jus d'orange, à la lumière du frigo ouvert, puis alla se coucher, emportant le jus de fruits avec elle. Faiblement éclairée par la luminosité de la ville à la belle saison, elle ôta l'un après l'autre ses escarpins, laissa tomber par terre sa belle robe si chère, fragile et délicate, et se débarrassa de ses sous-vêtements.

Assise sur le rebord du lit, elle regarda briller la lune par les rideaux entrebâillés, but encore du jus d'orange et pensa à sa respiration. Elle parla à la chambre vide…

— Mon chéri, je devais y aller… Je ne le voulais pas, mais il le fallait. Être là-bas sans toi… je me sentais si mal ! Et tu me manquais tellement que je ne le supportais plus. Bon Dieu, s'exclama-telle après avoir pris une inspiration, comment pourrais-je y arriver sans toi ?

Tandis que les larmes ruisselaient sur ses joues, elle posa la bouteille sur la table, replia les jambes sous le duvet en arrangeant les coins autour d'elle et se recroquevilla. Contemplant les étoiles, elle s'abandonna aux sanglots tandis que la magie soporifique de l'alcool opérait dans son métabolisme. Puis ses yeux asséchés commencèrent à se refermer.

CHAPITRE 31

Être si près du but, pour que tout foire à la dernière seconde… Eh bien, tu ne peux pas m'en vouloir d'être en rogne maintenant, n'est-ce pas ? Ça fait mal.

Tu m'as fait mal, Cassie, mais pire encore, tu m'as déçu.

Tu t'étais si bien débrouillée… Si longtemps… Vraiment, beaucoup mieux que toutes les autres. Mais en fin de compte, tu es comme toutes les autres, Cassie, car tu me déçois et comme toutes les autres, tu vas en payer le prix. Tu m'as humilié. Tu m'as tourné en ridicule.

Je ne peux pas te laisser te rétablir, peux-tu comprendre ça ? Où cela me mènerait-il ?

CHAPITRE 32

Engourdie et à la dérive, sa conscience refluait comme une vague qui s'éloigne quand Cassie entendit une clé tourner dans la serrure.

Puis un bruit mat, évoquant quelque chose de lourd qu'on traîne sur du bois. Mais elle était trop ensommeillée pour déterminer si ce bruit ne faisait pas partie de son rêve.

S'asseyant dans son lit, elle tendit l'oreille, attendant que ses yeux s'accoutument à l'obscurité ambiante. Il y avait quelque chose d'étrange, dans la qualité de ce silence.

Elle entendit le cliquetis de la porte d'entrée qu'on refermait.

— Jen ?

Faute de réponse, Cassie tendit la main vers sa table de chevet et alluma la lampe, tournant la tête vers la porte de sa chambre. C'est alors qu'elle vit l'orchidée, sur l'oreiller de Paul.

CHAPITRE 33

Jen s'arrêta à l'entrée de son immeuble et s'assit sur la marche palière. Même si elle n'aspirait qu'à revoir Mac et à se blottir dans ses bras, elle avait besoin de s'accorder une minute… qu'elle n'eut pas.

La porte s'ouvrit derrière la jeune femme et le vieux parquet grinça sous les pas de sa moitié, qui vint s'asseoir près d'elle.

— Ça va ?

Si elle se tournait vers lui, Jen savait qu'elle perdrait contenance pour la seconde fois cette nuit-là. Acquiesçant doucement, elle regarda droit devant elle.

— Cassie est OK ?

Inspirant, Jen soupira et posa la tête contre l'épaule de Mac. Aussitôt, il l'enlaça d'un bras, la berçant tendrement tandis qu'elle pleurait en silence. Les lèvres dans ses cheveux, il y déposa de doux baisers.

Après quelques instants, elle renifla un grand coup, chassa ses larmes, se redressa et, face à Mac, lui rendit son sourire.

— Je l'ignore… Cette soirée a été si bizarre ! Elle n'a pas voulu que je la raccompagne à pied chez elle, mais…

Mac attendit. Il avait passé tellement de nuits à consolider ce qu'il restait à Jen de forces après tout ce temps consacré à soutenir Cassie qu'il savait qu'elle lui dirait tout dès qu'elle se sentirait prête.

— J'ai si peur que ça n'ait été qu'un énorme pas en arrière pour elle, tu vois, une régression... Elle s'était mise à reprendre des photos, juste au coin de son immeuble, d'accord, mais... Et si je l'avais poussée à sortir alors que c'était encore trop tôt pour elle ?

— Tu crois vraiment pouvoir inciter Cassie à faire ce dont elle n'a pas envie ?

Tous deux eurent un petit rire.

— Tu as raison... Mais tu aurais dû la voir quand je l'ai quittée cette nuit... Je ne l'avais encore jamais vue comme ça.

— Tu veux qu'on y aille ?

— Ça t'embêterait ?

Mac n'y vit aucun inconvénient. Il retourna verrouiller leur appartement, puis rejoignit Jen sur le trottoir, lui prit la main et lui fit rebrousser chemin.

N'obtenant pas de réponse, Cassie avait tendu un bras vers l'orchidée, persuadée d'être victime d'une hallucination. Que diable la fleur fichait-elle là ? La jeune femme n'en avait pas la moindre idée. Paul était mort. Et jamais Jen n'aurait manqué de tact à ce point. Il ne pouvait pas s'agir d'une quelconque démarche thérapeutique débile...

Alors qu'elle tenait au creux de sa paume tremblante la fleur délicate blanc et lilas, un bruit lui parvint de la cuisine.

Cassie s'extirpa du lit, lâchant l'orchidée dans les draps. Elle glissa sur la soie de sa robe froissée, prit son jean et un tee-shirt sur le dos de son fauteuil et les passa maladroitement.

Le souffle heurté, elle tendit un bras vers le tiroir de sa table de chevet en quête du couteau qu'elle y conservait depuis le meurtre de Paul. Le serrant d'une main tremblante, elle fit un pas en direction de la porte de sa chambre… qui s'ouvrit. La jeune femme se pétrifia.

— Cassie…

Mesurant un peu plus d'un mètre quatre-vingts, l'homme qui venait d'apparaître ne semblait pas pressé de faire quoi que ce soit. Les bras ballants, il souriait.

— Cassie…

Repoussant la sécurité du Taser[1], Skirving fit un autre pas dans la chambre.

— Je dramatise…

— Probablement.

— Est-ce que je suis comme ça pour tout ?

— Non, juste en ce qui concerne Cassie.

Jen acquiesça en silence. Puis jeta un coup d'œil de l'autre côté de la rue.

— Si nous traversions le parc ? La nuit est tellement magnifique ! Si on arrive cinq minutes plus tard que prévu, ça ne la tuera pas…

— Je vous connais…

Gloussant, Skirving secoua la tête.

1. Pistolet électronique .

— Dans ce cas, comment je m'appelle ?

Il fit un autre pas vers Cassie, qui recula à l'angle de la pièce en contournant le lit. Elle agrippait toujours son couteau.

— Ça m'aurait étonné… Je voulais que tu sois celle qui ne se trompe jamais, Cassie, mais tu as tout fait foirer !

La jeune femme ouvrit la bouche pour répondre ; la battant de vitesse, Skirving tira.

D'instinct, elle tenta de plonger pour éviter les rayons qui fusaient vers elle, mais les sondes l'atteignirent à l'épaule et au cou. Le signal électrique la tétanisa cinq longues secondes, la privant de tonus musculaire. Cassie s'effondra.

Elle sentit des spasmes parcourir ses mains et ses pieds mais à part un fort désagréable fourmillement dans les membres, elle restait sûre de pouvoir bouger. Sa première tentative la contraignit à pencher la tête en avant pour tenter de surmonter un intense vertige. Quand elle rouvrit les yeux, Skirving se tenait devant elle.

Il la souleva sans peine sur le lit, l'allongeant sur le flanc. Il s'éloigna de son champ de vision puis, dans le prolongement de sa tête, elle sentit qu'il posait quelque chose de lourd.

Marmonnant dans sa barbe, Skirving déplia sa trousse d'outils, dévoilant un assortiment cauchemardesque d'instruments qui luisaient à la faveur de la lampe de chevet.

Cassie tenta de parler, émettant de petits sons à peine perceptibles. Tout ce dont son corps était encore capable ? Verser des larmes.

— C'est ta faute, Cassie. Tu ne peux t'en prendre qu'à toi-même.

Skirving était trop accaparé par sa tâche pour entendre une seconde clé tourner dans le verrou de l'entrée.

— Cassie ?

Jen claqua la porte sur ses talons.

Un petit scalpel en main, Skirving s'immobilisa. Il n'avait plus le temps. Empoignant le Taser qu'il avait laissé par terre, il l'appuya sur le corps de sa victime, lui infligeant un choc supplémentaire. Les spasmes musculaires reprirent, soulevant Cassie du matelas. Alors que la porte de la chambre s'ouvrait, Skirving fonça sur la nouvelle venue et, avant qu'elle puisse réagir, lui expédia son poing sur la tempe. Foudroyée, Jen bascula contre Mac qui tituba en tentant de la rattraper. Saisissant sa chance au bond, Skirving pressa le pistolet paralysant sur le flanc de Mac et sortit en trombe dans le couloir. Il était parti avant que le couple, sonné, ne reprenne ses esprits.

Repoussant la trousse de torture, Cassie s'extirpa tant bien que mal du lit pour la seconde fois, glissa sur le parquet et chancela vers Jen et Mac, qui revenaient à eux. Puis elle courut à la fenêtre ; la rue était déserte. Décrochant le téléphone, elle appela Police Secours.

De l'autre côté de la rue, dans le parc, Skirving vit le visage pâle de Cassie s'encadrer brièvement à la fenêtre. Il tenta de se remémorer l'époque où elle représentait encore tout à ses yeux, où elle était son univers… Mais toute sensation semblait l'avoir déserté. Il était comme engourdi.

Cette fille n'était pas pour lui.

CET OUVRAGE
A ÉTÉ ACHEVÉ D'IMPRIMER
SUR ROTO-PAGE
PAR L'IMPRIMERIE FLOCH
À MAYENNE EN MARS 2008

N° d'impr. 70751.
D. L. : mars 2008.
(Imprimé en France)